S'ENRICHIR
grâce à un portefeuille de
valeurs mobilières

Les Éditions Transcontinental
1100, boul. René-Lévesque Ouest
24e étage
Montréal (Québec) H3B 4X9
Tél.: (514) 392-9000 ou, sans frais, 1 800 361-5479

Données de catalogage avant publication (Canada)
Langford, Charles K.
S'enrichir grâce à un portefeuille de valeurs mobilières
Collection *Affaires PLUS*
Comprend des références bibliographiques
ISBN 2-89472-077-7

1. Valeurs mobilières. 2. Investissements. 3. Gestion de portefeuille
4. Placements privés (valeurs mobilières). 5. Cotation (Bourse). I. Titre. II. Collection

HG4521.L36 1998   332.63'2044   C98-941114-1

Révision et correction:
Jean Paré, Lyne M. Roy

Mise en pages:
Studio Andrée Robillard

**Conception graphique
de la couverture:**
orangetango

Imprimé au Canada
© Les Éditions Transcontinental inc., 1998
Dépôt légal: 3e trimestre 1998
Bibliothèque nationale du Québec
Bibliothèque nationale du Canada

ISBN 2-89472-077-7

Les Éditions Transcontinental remercient le ministère du Patrimoine canadien
et la Société de développement des entreprises culturelles du Québec
d'appuyer leur programme d'édition.

> Charles K. Langford <

S'ENRICHIR
grâce à un portefeuille de
valeurs mobilières

Les Éditions
TRANSCONTINENTAL inc.

Note de l'éditeur

Indépendamment du genre grammatical, les appellations qui s'appliquent à des personnes visent tant les femmes que les hommes. L'emploi du masculin a donc pour seul but de faciliter la lecture de ce livre.

REMERCIEMENTS

Depuis plus de 20 ans, ma femme Brunella et moi gérons des portefeuilles. En sa compagnie, j'ai acquis une bonne partie de mon expérience et je lui dois plusieurs pages de ce livre. C'est donc à elle que j'adresse mes remerciements.

Je veux également dire un grand merci à tous les investisseurs qui, au fil des années, m'ont fait confiance. Sans eux, il aurait été impossible de transmettre les connaissances pratiques que vous trouverez dans ces pages.

Charles K. Langford

TABLE DES MATIÈRES

CHAPITRE 3
Choisir sa stratégie de placement 119

Introduction

Notre objectif est assez simple : nous voulons vous **initier** au monde du placement, mais également vous montrer comment **créer** et **gérer** un portefeuille. À cette fin, nous avons divisé cet ouvrage en trois parties :

> 1. Choisir ses titres.
>
> 2. Choisir le type de portefeuille qui correspond à ses besoins et à ses objectifs.
>
> 3. Choisir sa stratégie de placement.

Plus précisément, la première partie sert d'introduction aux divers instruments financiers et aux différents concepts nécessaires à la compréhension de ce monde fascinant. On y montre, entre autres, comment utiliser les **indices de volatilité** et l'**indice bêta** lorsqu'on choisit ses titres.

La deuxième partie du livre présente les six types de portefeuilles les plus courants. Je me suis inspiré, pour ce faire, du classement effectué par les gestionnaires de fonds communs de placement (FCP). Après tout, la différence principale entre le fait d'investir dans un FCP et celle de créer un portefeuille est bien simple : dans ce dernier cas, le gestionnaire, c'est vous ! J'ai ensuite donné à chaque type de portefeuille des exemples de noms de sociétés. Toutefois, ces titres peuvent **changer de**

catégorie ou même **disparaître** avec le temps. Vous pourrez alors tenter d'acquérir des titres présentant des caractéristiques semblables.

Enfin, dans la troisième partie, je vous explique les principales techniques de placement. Vous n'aurez qu'à choisir celles qui s'adaptent le mieux à votre degré de tolérance au risque, à votre objectif de profit et, surtout, au temps que vous pouvez consacrer à la gestion de votre portefeuille. Vous savez, des techniques efficaces, il en existe de très simples et de très compliquées... Vous avez l'embarras du choix !

Savoir bâtir son portefeuille de placement est un exercice passionnant et rentable. Je souhaite sincèrement que ce livre vous donne le goût de passer à l'action.

Chapitre 1

CHOISIR SES TITRES

Dans ce premier chapitre, je traiterai principalement de trois aspects :

1. Il sera d'abord question des **quelques notions** propres à l'univers des placements que vous devez absolument maîtriser : épargne, intérêt, impôt, gains et pertes en capital, etc. Il s'agit là d'une courte section, mais importante quand même pour les néophytes de l'investissement. Vous savez, dans l'exercice de mes fonctions, il m'arrive de croiser des gens qui ne savent pas ce qu'est l'intérêt composé. Il faut bien commencer quelque part !

2. Les différents **véhicules de placement** dont vous disposez en tant qu'investisseur seront ensuite abordés. Pour bien des gens, « valeurs mobilières » égale nécessairement « actions ». Si vous êtes de ceux-là, vous vous rendrez compte qu'un portefeuille de valeurs mobilières peut comprendre une foule d'autres instruments de placement ayant chacun leurs particularités. Vous ne faites pas la distinction entre une obligation et une débenture ? Vous pensez que le concept de variabilité est strictement réservé à la météorologie ? Cette section vous permettra d'y voir clair !

3. Les fameuses **cotes de la Bourse** feront l'objet de cette dernière section du chapitre. Vous craignez les pages boursières comme la peste depuis longtemps? Pour vous, ces colonnes de tout petits chiffres sont de la bouillie pour les chats? Ne vous inquiétez pas, dans cette section, je m'occupe de vous aider à comprendre ces données une fois pour toutes. Allons-y!

1.1 L'ÉPARGNE ET L'INVESTISSEMENT

Avez-vous remarqué ce phénomène? Plus les années passent (en d'autres mots, plus on vieillit), plus notre souci principal devient celui de bâtir pour nous-même et pour les personnes qui nous sont chères une certaine sécurité matérielle et financière. Ce que j'appelle la «prospérité tranquille» passe par deux étapes principales : l'épargne, tout d'abord, puis l'investissement de ces épargnes.

Dites-vous bien qu'épargner n'est que la première étape dans la préparation d'un programme d'autonomie financière. Il n'existe pas vraiment de recette miracle pour y arriver, mais bien des spécialistes prétendent qu'il faut commencer tôt pour profiter de l'effet magique des intérêts composés. Je suis tout à fait de cet avis. Pour vous convaincre, consultez le tableau 1.1. Il est possible que vous vous rangiez vite de mon côté!

Si vous lisez ce livre, c'est que vous êtes maintenant fin prêt pour la deuxième étape, soit l'investissement de vos épargnes : vous voulez déterminer comment investir vos épargnes en vue d'obtenir le rendement maximal avec un minimum de risque. Vous trouverez ici l'essentiel de ce que vous devez savoir.

1.1.1 L'intérêt

Ce qui nous importe lorsqu'on épargne et qu'on investit, c'est de recevoir un revenu. Un intérêt **simple** est le revenu que vous recevez sur votre capital initialement investi.

Tableau 1.1
La valeur de 1 $ après n périodes

Période	1 %	2 %	3 %	4 %	5 %	6 %	7 %	8 %	9 %	10 %	11 %	12 %
1	1,0100	1,0200	1,0300	1,0400	1,0500	1,0600	1,0700	1,0800	1,0900	1,10001	1,1100	1,1200
2	1,0201	1,0404	1,0609	1,0816	1,1025	1,1236	1,1449	1,1664	1,1881	1,2100	1,2321	1,2544
3	1,0303	1,0612	1,0927	1,1249	1,1576	1,1910	1,2250	1,2597	1,2950	1,3310	1,3676	1,4049
4	1,0406	1,0824	1,1255	1,1699	1,2155	1,2625	1,3108	1,3605	1,4116	1,4641	1,5181	1,5735
5	1,0510	1,1041	1,1593	1,2167	1,2763	1,3382	1,4026	1,4693	1,5386	1,6105	1,6851	1,7623
6	1,0615	1,1261	1,1941	1,2653	1,3401	1,4185	1,5007	1,5869	1,6771	1,7716	1,8704	1,9738
7	1,0721	1,1487	1,2299	1,3159	1,4071	1,5036	1,6058	1,7138	1,8280	1,9487	2,0762	2,2107
8	1,0829	1,1717	1,2668	1,3686	1,4775	1,5939	1,7182	1,8509	1,9926	2,1436	2,3045	2,4760
9	1,0937	1,1951	1,3048	1,4233	1,5513	1,6895	1,8385	1,9990	2,1719	2,3580	2,5580	2,7731
10	1,1046	1,2190	1,3439	1,4802	1,6289	1,7909	1,9672	2,1589	2,3674	2,5937	2,8394	3,1059
11	1,1157	1,2434	1,3842	1,5395	1,7103	1,8983	2,1049	2,3316	2,5804	2,8531	3,1518	3,4786
12	1,1268	1,2682	1,4258	1,6010	1,7959	2,0122	2,2522	2,5182	2,8127	3,1384	3,4985	3,8960
13	1,1381	1,2936	1,4685	1,6651	1,8857	2,1329	2,4098	2,7196	3,0658	3,4523	3,8833	4,3635
14	1,1495	1,3195	1,5126	1,7317	1,9799	2,2609	2,5785	2,9372	3,3417	3,7975	4,3104	4,8871
15	1,1610	1,3459	1,5580	1,8009	2,0789	2,3966	2,7590	3,1722	3,6425	4,1773	4,7846	5,4736
16	1,1726	1,3728	1,6047	1,8730	2,1829	2,5404	2,9522	3,4259	3,9703	4,5950	5,3109	6,1304
17	1,1843	1,4002	1,6529	1,9479	2,2920	2,6928	3,1588	3,7000	4,3276	5,0545	5,8951	6,8660
18	1,1962	1,4283	1,7024	2,0258	2,4066	2,8543	3,3799	3,9960	4,7171	5,5599	6,5436	7,6900
19	1,2081	1,4568	1,7535	2,1069	2,5270	3,0256	3,6165	4,3157	5,1417	6,1159	7,2633	8,6128
20	1,2202	1,4860	1,8061	2,1911	2,6533	3,2071	3,8697	4,6610	5,6044	6,7275	8,0623	9,6463
21	1,2324	1,5157	1,8603	2,2788	2,7860	3,3996	4,1406	5,0338	6,1088	7,4003	8,9492	10,804
22	1,2447	1,5460	1,9161	2,3699	2,9253	3,6035	4,4304	5,4365	6,6586	8,1403	9,9336	12,100
23	1,2572	1,5769	1,9736	2,4647	3,0715	3,8198	4,7405	5,8714	7,2579	8,9543	11,026	13,552
24	1,2697	1,6084	2,0328	2,5633	3,2251	4,0489	5,0724	6,3412	7,9111	9,8497	12,239	15,179

Exemple

• • • • • • • • • • • • • • • • • •

Vous investissez 100 $ dans un véhicule de placement dont l'échéance est dans un an. Le rendement garanti s'élève à 10 %. Vous recevrez donc la somme de 110 $, capital et intérêts inclus. Facile !

L'intérêt devient **composé** dès le moment où sont calculés **des intérêts sur les intérêts**. En effet, en réinvestissant le capital et les intérêts gagnés la première année, soit 110 $, au même taux pour une autre année, vous détiendrez 121 $ (voir au tableau 1.1 le montant indiqué au croisement de la période 2 avec la colonne du 10 %). Par exemple, une somme de 10 000 $ investie au taux annuel de 10 % s'élève à 25 937 $ après 10 ans, une augmentation de 260 %. Puis, la même somme initiale investie au taux de 10 % pendant 24 ans devient 98 497 $, une augmentation de presque 1000 % ! Ne me dites pas que je ne vous ai pas convaincu...

En consultant ce tableau, il devient évident que plus tôt on épargne, moins on doit en épargner subséquemment pour obtenir le même résultat. Comme on l'a vu précédemment, 10 000 $ investis à 10 % pendant 24 ans donnent en bout de ligne un montant près de 10 fois plus élevé. Pour obtenir le même résultat en 9 ans, il faudra investir près de 41 771 $ (98 497 $ ÷ 2,3580), soit 31 771 $ de plus au départ. C'est clair : plus vous tardez à vous y mettre, plus vous devrez vous serrer la ceinture !

1.1.2 Le gain en capital

Le gain en capital est cette **plus-value** que vous obtenez au moment de la revente de l'un de vos titres. Prenons l'exemple d'un bien qui vous est familier, votre résidence. Quand vous l'avez achetée, il y a de cela 20 ans, vous l'avez payée 40 000 $. Elle vaut aujourd'hui 200 000 $. L'appréciation de votre demeure, c'est-à-dire la différence entre

200 000 $ et 40 000 $, est ce que l'on appelle un **gain en capital**. On dit que ce gain est « théorique » tant et aussi longtemps qu'il n'a pas été réalisé. Autrement dit, dans cet exemple, il est théorique tant et aussi longtemps que votre maison n'a pas été vendue.

C'est exactement la même chose lorsque vous achetez des actions. Si vous avez acheté vos actions à 10 $ et qu'elles valent maintenant 15 $, votre gain en capital théorique est de 5 $ par action. Il faut juste espérer qu'elles n'aient pas mis 20 ans avant de produire ce gain !

1.1.3 Les facteurs économiques et sociaux

Dans les années 1970, il y a eu, partout dans le monde industrialisé, une explosion de la demande d'avantages sociaux de toutes sortes. Du côté des gouvernements, cette demande s'est traduite par une myriade d'offres dans tous les domaines sociaux : la santé, l'éducation, le travail, les études, la sécurité du revenu, etc.

Pour satisfaire à cette demande, les gouvernements ont dû emprunter sur les marchés de façon croissante et augmenter les impôts et les taxes. Personne ne semble s'être alors rendu compte de la gravité du poids de la dette. Il aura fallu attendre jusqu'aux années 1990, soit jusqu'au moment où la capacité d'emprunter et de taxer des gouvernements a atteint sa limite, pour comprendre que cette façon de gérer devait être revue. C'est alors que les gouvernements ont commencé à supprimer des services afin de réduire les dépenses. Résultat : le citoyen en a beaucoup moins pour son argent. En effet, il paie plus d'impôt et il obtient moins de services en retour. Petite compensation, cependant : l'inflation est maintenant faible et maîtrisée.

L'inflation

L'inflation se traduit par la diminution de votre pouvoir d'achat. Au Canada, aux États-Unis et dans les autres pays qui forment le G7 (le groupe des sept principaux pays industrialisés), le taux d'inflation est présentement très bas. Toutefois, ce ne fut pas toujours le cas. De 1975 à 1981, par exemple, on a connu des années noires dans ce domaine. Est-il possible que l'on vive de nouveau une telle période inflationniste? Oui, bien qu'il soit difficile de le prévoir.

Pendant cette période creuse, l'investisseur trouvait avantageux de s'endetter, puisque la perte de la valeur de l'argent réduisait d'année en année le montant réel de sa dette alors que les salaires augmentaient pour s'ajuster à l'inflation. Il évitait les titres de créance comme les obligations parce que son pouvoir d'achat était rongé par l'inflation.

Le tableau 1.2 montre l'évolution du taux d'inflation (représenté par l'**indice des prix à la consommation** ou IPC) au Canada de 1980 à 1998. Nous constatons que, par exemple, entre 1980 et 1995, l'indice général du coût de la vie a pratiquement doublé, passant de 52,4 à 104,2. Ainsi, même si votre salaire a doublé entre 1980 et 1995, vous avez conservé le même pouvoir d'achat. Entre 1995 et le moment où j'écris ces lignes, l'indice des prix à la consommation (IPC), qui représente l'inflation, n'a presque pas changé. Le lecteur intéressé à suivre l'évolution de cet indice n'a qu'à consulter, dans Internet, le site de Statistique Canada à www.statcan.ca.

Tableau 1.2

L'indice des prix à la consommation, indices d'ensemble moyens annuels*, Canada, aperçu historique

Année	Indice d'ensemble 1992 = 100	Variation depuis l'année précédente %
1968	22,4	4,2
1969	23,4	4,5
1970	24,2	3,4
1971	24,9	2,9
1972	26,1	4,8
1973	28,1	7,7
1974	31,1	10,7
1975	34,5	10,9
1976	37,1	7,5
1977	40,0	7,8
1978	43,6	9,0
1979	47,6	9,2
1980	52,4	10,1
1981	58,9	12,4
1982	65,3	10,9
1983	69,1	5,8
1984	72,1	4,3
1985	75,0	4,0
1986	78,1	4,1
1987	81,5	4,4
1988	84,8	4,0
1989	89,0	5,0
1990	93,3	4,8
1991	98,5	5,6
1992	100,0	1,5
1993	101,8	1,8
1994	102,0	0,2
1995	104,2	2,2
1996	105,9	1,6
1997	107,6	1,6

* Les indices moyens annuels sont obtenus en prenant la moyenne des indices pour les 12 mois de l'année civile.

Source: Statistique Canada, CANSIM, matrice 9957.

L'espérance de vie

En règle générale, on mange mieux qu'avant ou, à tout le moins, on fait des efforts pour mieux s'alimenter. On travaille moins physiquement. On fait l'impossible pour entretenir un mode de vie plus sain. Par ailleurs, la science a fait des progrès spectaculaires et nous pouvons maintenant vivre plus longtemps et en meilleure santé. En fait, plus le temps passe, plus notre espérance de vie s'allonge. Depuis quelques années, on remarque même que les jeunes sont plus grands qu'ils ne l'étaient au début du siècle!

Certes, poser la question peut indisposer certaines personnes, mais il faut se la poser tout de même : combien d'années ai-je à vivre? Pour en avoir une idée, consultez le tableau 1.3 qui a été réalisé à partir des études statistiques des compagnies d'assurance-vie.

Tableau 1.3			
L'espérance de vie des Canadiens			
		Âge	
Période	0	65	75	85
A : Hommes				
1920-1922	58,8	13,0	7,6	4,1
1925-1927	60,5	13,3	7,8	4,2
1930-1932	60,0	13,0	7,6	4,1
1935-1937	61,3	13,0	7,6	4,3
1940-1942	63,0	12,8	7,5	4,1
1945-1947	65,1	13,2	7,9	4,4
1950-1952	66,4	13,3	7,9	4,3
1955-1957	67,7	13,4	8,0	4,4
1960-1962	68,4	13,6	8,2	4,6
1965-1967	68,7	13,6	8,3	4,6
1970-1972	69,4	13,8	8,5	5,0
1975-1977	70,3	14,0	8,7	5,1
1980-1982	71,9	14,6	9,0	5,2
1985-1987	73,0	14,9	9,1	5,1
1989-1991	73,9	15,4	9,4	5,2

B : Femmes				
1920-1922	60,6	13,6	8,0	4,3
1925-1927	62,3	14,0	8,1	4,2
1930-1932	62,1	13,7	8,0	4,4
1935-1937	63,7	13,9	8,1	4,6
1940-1942	66,3	14,1	8,2	4,4
1945-1947	68,6	14,6	8,6	4,6
1950-1952	70,9	15,0	8,8	4,7
1955-1957	73,0	15,6	9,1	5,0
1960-1962	74,3	16,1	9,5	5,0
1965-1967	75,3	16,8	10,0	5,3
1970-1972	76,5	17,6	10,7	5,9
1975-1977	77,7	18,2	11,3	6,3
1980-1982	79,1	18,9	11,9	6,6
1985-1987	79,7	19,1	11,9	6,4
1989-1991	80,5	19,6	12,3	6,7
C : Écart entre les femmes et les hommes				
1920-1922	1,8	0,5	0,4	0,3
1925-1927	1,9	0,7	0,3	0,0
1930-1932	2,1	0,7	0,4	0,3
1935-1937	2,3	0,9	0,5	0,2
1940-1942	3,3	1,3	0,7	0,3
1945-1947	3,6	1,4	0,7	0,3
1950-1952	4,5	1,7	0,9	0,4
1955-1957	5,3	2,2	1,1	0,5
1960-1962	5,8	2,6	1,3	0,4
1965-1967	6,5	3,2	1,7	0,7
1970-1972	7,0	3,8	2,2	0,9
1975-1977	7,4	4,2	2,6	1,2
1980-1982	7,2	4,4	2,9	1,4
1985-1987	6,7	4,2	2,8	1,3
1989-1991	6,6	4,2	2,9	1,5

Source : Statistique Canada, *Profil des personnes âgées au Canada*, 1994, p. 65.

Les données du tableau 1.3 doivent être interprétées de la façon suivante :

• Si vous êtes un homme né en 1960, vous pouvez vous attendre à vivre 68,4 années (la colonne « 0 »), c'est-à-dire jusqu'à 2028.

• Si vous êtes encore vivant en 2025, donc si vous atteignez l'âge de 65 ans, votre espérance de vie s'allonge de 13,6 années (la colonne « 65 »). Cela vous amène à l'âge de 78 ans (et des poussières !), soit en 2038.

• Si, à l'âge de 75 ans (en 2035), vous êtes toujours vivant, les statistiques prétendent que vous pourrez vivre encore 8,2 années (la colonne « 75 »). Ceci vous amène à l'âge de 83 ans, soit en 2043.

• De la même façon, si, en 2045 (vous aurez alors 85 ans !), vous êtes toujours de ce monde, il vous restera encore 4,6 années à vivre. Cela vous amène à l'âge de 89 ans, soit en 2049.

On peut facilement supposer que, si vous êtes en santé à 89 ans, vous avez encore des années devant vous, surtout si vous êtes heureux, ne fumez pas et n'avez pas de soucis financiers.

Les données indiquent aussi que :

1. Les femmes vivent plus longtemps que les hommes.

2. Plus le temps passe (voir les colonnes « Période » et « 0 »), plus l'espérance de vie s'allonge, la qualité de vie et les soins de santé ne cessant de s'améliorer.

L'écrivain français André Maurois disait : « Il faut vivre comme si nous étions éternels. » À mon avis, on peut à tout le moins se contenter de dire : « Il faut vivre comme si nous allions atteindre l'âge de 125 ans. » De façon réaliste, on peut ajouter une dizaine d'années à notre espérance de vie actuelle. On peut même, tout en maintenant un mode de vie relativement sain, espérer vivre jusqu'à 100 ans. Imaginez, un siècle tout entier ! Jamais avant, dans l'histoire de l'humanité, on n'a pu émettre de tels pronostics.

Depuis des décennies, tous les gouvernements des pays industrialisés perçoivent des impôts (eh non, ce n'est pas nouveau !). Ce qui est nouveau cependant, c'est que le 20e siècle a donné naissance à l'**État payeur de pension**. En effet, une fraction des revenus de l'État est consacrée au versement d'une pension aux personnes âgées. Le hic, c'est que le nombre d'aînés ne cesse d'augmenter et, surtout, ces derniers vivent désormais beaucoup plus longtemps. Au train où vont les choses, on est en droit de se demander si les recettes des gouvernements seront suffisantes pour payer les pensions.

Cette question épineuse laisse entrevoir trois possibilités :

- Les gouvernements s'endetteront encore.

- Les gouvernements augmenteront les impôts.

- Les gouvernements réduiront les pensions et repousseront l'âge de la retraite.

Entre vous et moi, la dernière possibilité semble la plus probable. La morale de cette histoire ? De plus en plus, les gens doivent compter sur eux-mêmes, sur leurs propres ressources, sur leur capacité d'épargner et de générer des revenus s'ils veulent vivre confortablement jusqu'à la fin de leurs jours.

Pensez-y une minute : votre période d'inactivité risque d'être aussi longue que le temps que vous aurez passé sur le marché du travail ! Maintenant, comprenez-vous la pertinence de créer et de gérer votre propre portefeuille le plus vite possible ?

L'impôt

La planification fiscale est un volet important de votre stratégie d'investissement. Toutefois, à mon avis, la réduction de vos impôts ne doit pas être votre premier souci. En effet, à quoi sert une économie d'impôt de 10 000 $ si votre placement, de son côté, perd 12 000 $? C'est la qualité du placement qui prime. Dans ce livre, je ne fais donc aucune recommandation en matière de fiscalité ; j'en illustrerai quelques principes de base seulement.

Une chose est certaine, cependant : assurez-vous de choisir un titre pour sa valeur, et non pas pour les avantages qu'il peut vous procurer sur le plan fiscal.

L'impôt sur les intérêts

L'investisseur doit déclarer ses revenus d'intérêt selon la méthode de la comptabilité d'exercice (ou annuelle), et ce, qu'il ait reçu de l'argent ou non. Prenez, par exemple, les revenus que vous procurent vos obligations d'épargne du Canada (OEC). Chaque année, que vous ayez ou non encaissé vos revenus d'intérêt, vous devez les ajouter à vos revenus de placement dans votre déclaration de revenus.

Le revenu d'intérêt est **imposable à 100 %**. L'avantage fiscal de ce type de revenu est donc nul.

Exemple		
Revenu d'intérêt :		1000 $
Montant imposable :		1000 $
Taux marginal d'imposition :		46 %
Impôt à payer :		460 $

L'impôt sur les dividendes de sociétés canadiennes imposables

Les dividendes, qui représentent la portion des bénéfices d'une entreprise versée aux actionnaires, sont assujettis à un traitement fiscal particulier. En effet, les dividendes sont versés à même le bénéfice après impôt d'une entreprise. La Loi sur l'impôt permet une majoration du revenu de dividende de l'ordre de 25 %.

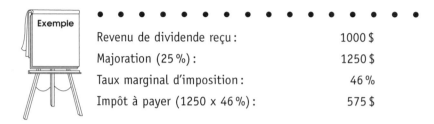

Revenu de dividende reçu :	1000 $
Majoration (25 %) :	1250 $
Taux marginal d'imposition :	46 %
Impôt à payer (1250 x 46 %) :	575 $

Par ailleurs, un crédit d'impôt fédéral de 13,33 % ainsi qu'un crédit d'impôt provincial de 8,87 % sont accordés à l'investisseur. Ces crédits d'impôt permettent de réduire le taux d'imposition d'un investisseur.

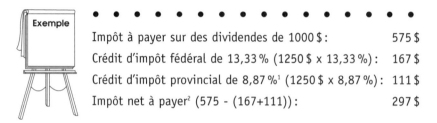

Impôt à payer sur des dividendes de 1000 $:	575 $
Crédit d'impôt fédéral de 13,33 % (1250 $ x 13,33 %) :	167 $
Crédit d'impôt provincial de 8,87 %[1] (1250 $ x 8,87 %) :	111 $
Impôt net à payer[2] (575 - (167+111)) :	297 $

L'impôt à payer sur des dividendes de 1000 $ est de 297 $. Cela correspond à un taux d'imposition de 29,7 %, comparativement à un taux de 46 % sur un revenu d'intérêt.

Les gains et les pertes en capital

Seuls 75 % des gains en capital sont imposables. Lorsqu'un investisseur vend ses actions, il réalise un gain en capital si le prix de vente, une fois soustraits les frais de vente et le coût de l'emprunt s'il y a lieu, est supérieur au prix qu'il a payé pour acquérir les actions.

---

1 Dans son budget dévoilé le 31 mars 1998, Bernard Landry, ministre d'État de l'Économie et des Finances du Québec, a annoncé la majoration du taux de crédit provincial qui se fera en deux temps : de 8,87 % à 9,85 % en 1999, puis à 10,86 % en 2000. Pour les investisseurs, cela équivaut à une hausse de dividende venant du ciel. (Source : Claude Chiasson, « Le fisc québécois rend encore plus alléchants les dividendes », dans Les Affaires, 11 avril 1998, p. 67.)

2 L'impôt net ne tient pas compte de la surtaxe en vigueur (fédérale et provinciale).

Exemple

La portion imposable d'un gain en capital net (gains réels moins pertes réelles) est de 75 %.

Gain en capital :	1000 $
Montant imposable (75 % de 1000 $) :	750 $
Taux marginal d'imposition	46 %
Impôt à payer	345 $

Comme vous pouvez le constater, il est tout à fait juste de conclure que les dividendes sont plus avantageux que les gains en capital.

Le régime enregistré d'épargne-retraite (REER) autogéré

Avant de poursuivre, il faut préciser que, dans ce livre, il sera uniquement question du REER autogéré. Ce dernier est d'ailleurs le régime idéal pour l'investisseur qui prend seul toutes ses décisions de placement.

> Contrairement aux REER conventionnels (REER CPG, REER FCP), qui vous permettent d'investir dans une catégorie d'actif en particulier, le REER autogéré vous autorise à investir dans la majorité des classes d'actif (actions, obligations, bons du Trésor, FCP, CPG, etc.).

L'investisseur qui possède à la fois un compte REER autogéré et un compte ordinaire chez un courtier devrait effectuer les investissements à plus haut degré d'imposition (obligations, CPG, OEC) dans son compte REER. Pourquoi ? Tout simplement parce que les revenus provenant du REER sont imposables au moment du retrait seulement (à la retraite, idéalement). Vous vous trouvez alors à **différer l'imposition** de vos revenus d'intérêt pour des dizaines d'années, ce qui n'est vraiment pas à dédaigner.

Évidemment, certaines restrictions caractérisent les types d'investissement admissibles au REER. Par exemple, la valeur des actions de sociétés étrangères détenues dans votre régime est limitée à 20 % de la valeur totale de votre REER et les stratégies d'options ne sont pas permises.

Le régime d'épargne-actions du Québec (REAQ)

Grâce à ce type de régime offert au Québec, l'investisseur peut profiter d'une déduction d'impôt s'il achète des actions de sociétés québécoises. Le gouvernement provincial accorde cette déduction d'impôt dans le but de favoriser la mise sur pied et la croissance de certaines catégories d'entreprises.

1.2 LES VALEURS MOBILIÈRES

Les véhicules de placement qui vous sont présentés sont essentiels à toutes les personnes qui désirent se bâtir un portefeuille. Vous découvrirez qu'il existe autre chose pour accroître vos revenus que les certificats de placement garantis (CPG) et les obligations d'épargne du Canada (OEC). Et quand on sait ce qu'on achète, il est possible de minimiser le risque lié à l'acquisition.

Commençons donc avec les titres qui nous intéressent tout particulièrement dans ce livre : les **actions**.

1.2.1 Les titres de propriété

Le capital d'une société est composé de deux sources de financement : les actions et les obligations (incluant les débentures, soit des obligations sans garantie).

Contrairement au détenteur d'une obligation, qui est un **créancier** de l'entreprise, le détenteur d'une action est, en partie, **propriétaire** de l'entreprise. Les actions sont des titres de croissance. Elles permettent de bénéficier de l'amélioration de la santé financière de l'entreprise et d'espérer une augmentation du prix de l'action et le versement d'un dividende.

Il existe deux types d'actions : les actions **ordinaires** et les actions **privilégiées**. Les détenteurs d'actions ordinaires sont les véritables propriétaires de l'entreprise. Chaque action ordinaire donne droit à un vote et permet d'élire les membres du conseil d'administration. Par ailleurs, s'il y a liquidation de l'entreprise, ce sont les détenteurs d'actions ordinaires qui se « servent » en dernier lieu, c'est-à-dire après les créanciers et les actionnaires privilégiés.

Les propriétaires d'actions privilégiées ont certains droits et privilèges que n'ont pas les détenteurs d'actions ordinaires. Les actions privilégiées ne sont ni des titres de créance ni des titres de propriété, car elles ne sont pas accompagnées d'un droit de vote. L'actionnaire privilégié se situe entre le créancier de l'entreprise et l'actionnaire ordinaire.

La différence la plus significative entre les actions ordinaires et les actions privilégiées se trouve dans la façon dont les dividendes sont versés : les détenteurs d'actions ordinaires *peuvent* recevoir des dividendes, alors que les propriétaires d'actions privilégiées ont le *droit* de recevoir des dividendes. Cette situation fait en sorte que le cours boursier de l'action privilégiée fluctue moins que celui de l'action ordinaire. Aussi, l'action privilégiée offre une possibilité de croissance inférieure.

Pour en savoir plus sur ce type de titres, vous pouvez consulter le **prospectus d'émission d'actions** et le **rapport annuel** des sociétés qui vous intéressent. Un courtier en valeurs mobilières peut vous fournir ces documents sur demande. Vous trouverez également dans la presse spécialisée (le journal *Les Affaires*, par exemple) des articles ou des cahiers thématiques qui traitent de ce type de titres. Les bibliothèques des Bourses et des universités sont aussi une source précieuse d'information. Enfin, au Réseau de l'information de Radio-Canada (RDI), l'émission *Capital-Actions*, animée par Claude Beauchamp, passe en revue les activités des marchés boursiers sur une base quotidienne. Vous ne manquez pas d'outils pour vous tenir au courant !

Comme si ce n'était pas assez, dans Internet, vous avez accès aux cotes et aux données financières sur les titres de plusieurs centaines de sociétés. Ces renseignements sont gratuits et très à jour. En vérité, ils vous parviennent avec un léger retard de 15 à 20 minutes, lequel ne constitue pas vraiment un obstacle à la saine gestion de vos investissements.

1.2.2 Les titres de créance

Les titres de créance (on les appelle aussi «titres de dette») sont essentiellement de deux types : à **court terme** et à **long terme**. Les véhicules de placement de court terme font partie du marché monétaire. Les plus courants sont les bons du Trésor et les certificats de dépôt bancaires. Les premiers représentent des prêts que les investisseurs font aux gouvernements, et les seconds sont des prêts faits à des institutions bancaires.

Les titres de créance à long terme sont les obligations et les débentures. Les débentures sont tout simplement des obligations qui ne sont pas assorties d'une garantie. Il n'y a pas que les gouvernements fédéral et provinciaux qui émettent des obligations ; la plupart des municipalités (Montréal, Québec, Saint-Tite, même), les sociétés d'État (Hydro-Québec) et les entreprises (Bombardier, SNC-Lavalin) en mettent aussi en circulation.

Le capital d'une société a donc deux composantes : les **actions** et les **obligations**. Contrairement à ce qui arrive quand vous investissez dans l'achat d'actions, vous ne devenez pas l'un des copropriétaires de l'entreprise en acquérant des obligations. En échange de ce placement, vous recevez plutôt des versements d'intérêt sous la forme de **coupons**. Le versement des intérêts sur ces titres a priorité sur le versement des dividendes aux actionnaires.

> Dans les faits, certaines obligations sont assorties de coupons qui peuvent être détachés de celles-ci, d'où l'appellation « obligation à coupons détachés ». Ces coupons détachés peuvent être vendus séparément de l'obligation. Par exemple, on peut acheter un coupon qui nous permette d'encaisser 1000 $ dans 6 mois. Ce type de placement sera expliqué un peu plus loin, à la page 36.

1.2.3 Le marché monétaire

Le marché monétaire est composé de titres de dette qui ont une échéance, le plus souvent, de trois mois à un an.

L'instrument du marché monétaire le plus connu est le **bon du Trésor**, émis par le gouvernement fédéral et par certaines provinces. Le montant minimal qu'on peut y investir varie selon l'intermédiaire : un courtier peut exiger un minimum d'achat de 5000 $, alors qu'une institution financière peut ne demander que 2000 $. Informez-vous auprès de votre courtier ou de votre établissement financier.

Le bon du Trésor est considéré comme sans risque. Ce n'est pas par hasard, puisque l'émetteur, le Trésor du Canada, est le plus solvable de tous les créanciers du Canada. Les autres instruments financiers qui font partie de ce marché sont les certificats de dépôt bancaires, les acceptations bancaires et le papier commercial de grandes sociétés.

> L'acceptation bancaire est une traite commerciale négociable à court terme qui a été acceptée et garantie par la banque de l'emprunteur. Le papier commercial est un billet émis par des entreprises commerciales et industrielles.
>
> Généralement, ces titres d'emprunt sont utilisés pour renflouer le fonds de roulement de l'entreprise émettrice.

Vous ne courez généralement aucun risque à investir dans ces véhicules. Sachez toutefois que la fiabilité à toute épreuve se trouve seulement dans les bons du Trésor. Bien entendu, cette fiabilité des bons du Trésor fait en sorte qu'ils rapportent moins qu'un instrument de placement plus risqué.

À cette étape, vous vous demandez sans doute quoi choisir : un rendement élevé moins sûr ou un rendement sûr mais moins élevé ? On peut adopter la règle suivie par les gestionnaires institutionnels :

> • Dans un environnement de taux d'intérêt à la hausse, l'économie est menacée de recul et il est prudent d'investir dans les bons du Trésor.
>
> • Dans un environnement de taux d'intérêt à la baisse, l'économie se porte généralement de mieux en mieux. On peut alors investir dans d'autres titres du marché monétaire, lesquels offrent un rendement plus élevé.

Les bons du Trésor ne portent pas d'intérêt. Ils sont émis à escompte, c'est-à-dire à un prix inférieur à celui de la valeur nominale qui est indiquée sur votre bon. Lorsque votre bon vient à échéance, par exemple 90 jours plus tard, on vous remet le montant indiqué sur celui-ci. L'escompte, finalement, représente le rendement. Toutefois, d'un point de vue fiscal, **il ne s'agit pas là d'un gain en capital**, mais bien d'un revenu d'intérêt.

Exemple

Imaginons que le prix d'un bon du Trésor à échéance de 3 mois est de 99 $. L'investisseur qui en achète pour une valeur nominale de 10 000 $ débourse dans les faits 9900 $. Après 3 mois, il recevra la somme de 10 000 $. Il aura alors gagné 100 $ en 3 mois, soit un taux d'intérêt de 1,01 % :

$$\frac{100 \$}{9900 \$} = 0{,}0101 = 1{,}01\%$$

Le rendement annuel de ce placement sera donc le suivant :

$$0{,}0101 \times \frac{12 \text{ mois}}{3 \text{ mois}} = 0{,}0404 = 4{,}04\%$$

1.2.4 Le marché monétaire étranger

Souvent, l'investisseur sera tenté d'investir dans le marché monétaire étranger. Ce type d'investissement peut se révéler rentable lorsque le pays étranger affiche des taux d'intérêt plus élevés que ceux offerts au Canada. Toutefois, il faut savoir que cet investissement entraîne un risque supplémentaire. En effet, quel est le taux de change entre le dollar canadien et la devise étrangère ?

Pour minimiser ce risque supplémentaire, vous pouvez « acheter » des **taux d'échange à terme** vous garantissant le taux de change de la devise en question. Ces contrats permettent de fixer d'avance le taux de change sur lequel on se basera pour convertir le capital ainsi que le gain réalisé. Toutefois, le niveau du taux de change que la banque a préalablement fixé est tel que, souvent, il annule l'avantage de l'investissement à l'étranger.

1.2.5 Les obligations et les débentures

Les obligations achetées au moment de leur émission et gardées jusqu'à leur échéance permettent de récupérer entièrement le capital initialement déboursé.

Les obligations ne sont pas cotées en Bourse, mais bien dans ce qu'on appelle le **marché hors cote** ou **hors Bourse**. Leur prix se trouve sur les écrans des négociateurs et des représentants dans les maisons de courtage.

Le tableau 1.4 montre un exemple de cote d'obligation du gouvernement canadien. Le prix, le rendement et les caractéristiques (comme le coupon et l'échéance) des obligations sont publiés dans la section financière des principaux quotidiens et dans l'hebdomadaire *Les Affaires*.

Tableau 1.4

Un exemple de cotation d'une obligation du gouvernement canadien

Émetteur	Coupon	Échéance	Prix	Rendement
Canada	7 %	1er décembre 2006	101,720 $	6,752 %

Le coupon représente le rendement annuel établi au moment de l'émission de l'obligation. L'échéance indique la date d'échéance de cette obligation. Le prix signifie que l'investisseur doit payer 101,72 $ pour chaque tranche de 100 $ de valeur nominale. Le rendement est donc inférieur au coupon parce que le prix est supérieur à 100 $.

Le paiement des intérêts sur les obligations que verse la société aux créditeurs a préséance sur le versement des dividendes. Cela veut dire que le propriétaire d'une obligation de société est plus sûr de recevoir le versement d'un revenu que le détenteur d'actions ordinaires ou privilégiées.

Les obligations, contrairement aux actions, ont une durée de vie limitée parce qu'elles ont une date d'échéance. Cette période peut s'étendre de 1 an à 30 ans tout au plus. Les obligations sont émises par les entreprises, les municipalités, les gouvernements et les organismes internationaux.

L'époque fabuleuse de l'investissement en obligations a duré 6 ans, de 1981 à 1987, une période où l'inflation était à la baisse. Durant cette période, les obligations ont, en moyenne, enregistré un rendement de 17 % par année. Elles offraient alors une combinaison enviable de revenu d'intérêt et de gain en capital à très basse volatilité. À cette époque, la performance des portefeuilles d'obligations a même surpassé celle des portefeuilles d'actions de croissance élevée. La meilleure année a été 1982 avec un rendement moyen de 29 %.

À l'opposé, avant 1981, les portefeuilles d'obligations avaient connu des résultats négatifs. Le revenu d'intérêt que procuraient les obligations avait été rongé et même dépassé par l'inflation. Leur prix avait alors fluctué amplement étant donné les variations exceptionnelles des taux d'intérêt.

Pendant 5 ans, soit de 1977 à 1981, le rendement moyen des obligations a été de 3 %, et ce, en dépit du revenu des coupons, lequel a montré un taux bien plus élevé que 3 %. Comment expliquer un rendement aussi faible ? Simple : la hausse des taux d'intérêt avait alors fait baisser le prix des obligations déjà émises ; elles devenaient soudainement beaucoup moins attrayantes. En fait, cette baisse créait une perte entre le prix d'achat de l'obligation et sa nouvelle valeur. La hausse des taux d'intérêt — donc la baisse de la valeur des obligations — a touché son sommet en 1981 et en 1982.

> Le prix des obligations baisse quand les taux d'intérêt sont à la hausse, et il augmente quand les taux d'intérêt fléchissent.

Les obligations, surtout celles émises par le gouvernement, sont achetées par les investisseurs qui désirent un revenu stable et sans risque pour leur capital. Si l'inflation est modérée, les obligations sont des investissements intéressants. Par contre, s'il y a une reprise de l'inflation, il y aura alors une hausse des taux d'intérêt et une baisse de la valeur des obligations en notre possession. Le revenu réel (après inflation) sera alors beaucoup moins intéressant.

Les obligations sont donc sensibles aux variations des taux d'intérêt. Cette sensibilité est d'autant plus grande que **le revenu du coupon est petit** et que **l'échéance est lointaine**. Il existe différentes façons de mesurer cette sensibilité. L'une des plus connues s'appelle la **valeur du point centésimal** ou VPC. Malheureusement, on ne trouve pas encore la VPC dans les cotes publiées dans les journaux ; il faut la demander à un courtier. Si la VPC d'une obligation est de 65$, cela signifie que, dans les conditions actuelles du marché, quand les taux d'intérêt varient de 0,01 %, on a une variation de 65$ pour chaque tranche de 100 000$ de valeur nominale de l'obligation (ou 0,65$ pour chaque tranche de 1000$ de valeur nominale). Ainsi, plus la VPC est élevée, plus l'obligation est sensible aux variations du taux d'intérêt.

1.2.6 Le « choix » du risque

Le propriétaire d'obligations est soumis à deux types de risques :

- Le risque de perte de pouvoir d'achat qui se présente lorsque le rendement est inférieur à l'inflation.

- Le risque de défaut de paiement qui se présente lorsque le créancier met fin au remboursement de sa dette.

En règle générale, la valeur des actions s'ajuste à l'inflation. En effet, la perte de pouvoir d'achat du dollar se traduit plus ou moins rapidement par une augmentation correspondante de la valeur des actions. Toutefois, ce n'est pas le cas avec les obligations parce que l'inflation ronge le pouvoir d'achat du revenu fixe qu'offrent les coupons. Comme nous l'avons vu précédemment, l'inflation déclenche une hausse des taux d'intérêt, laquelle fait baisser la valeur au marché des obligations.

Le seul risque de défaut est le non-paiement des coupons et du capital à l'échéance. Cela peut arriver dans le cas des obligations de sociétés, lorsque celles-ci éprouvent des difficultés financières. Si l'on veut réduire ce risque, il faut s'appliquer à choisir des obligations de sociétés de première qualité. Ce risque de non-paiement n'existe pas pour les obligations émises par les gouvernements, tant au Canada qu'aux États-Unis.

Rappelez-vous toujours une chose : **meilleure est la qualité d'une obligation, moins élevé est le revenu des coupons.** Par exemple, les obligations des gouvernements étant les plus sûres, elles rapportent moins que celles des entreprises.

Par ailleurs, sachez que les obligations peuvent également offrir un potentiel de gain sous la forme de plus-value. C'est le cas lorsque vous achetez une obligation :

- au moment de son émission (marché primaire), donc à sa valeur nominale (par exemple, 1000 $) ; ainsi, lorsque son prix monte (à 1070 $), vous pouvez la revendre et réaliser un gain (70 $) ; on dit alors que l'obligation se transige **à prime** ;

- dans le marché secondaire, dont le prix du marché est inférieur à sa valeur nominale (par exemple, 950 $) ; il y aura alors un gain en capital (50 $) à l'échéance ; on dit alors que l'obligation se transige **à escompte**.

1.3 LES AUTRES CATÉGORIES DE TITRES À REVENU FIXE

Parmi les autres catégories de titres qui procurent un revenu fixe, on trouve les coupons détachés de même que les obligations convertibles et les obligations internationales.

1.3.1 Les coupons détachés

Il est possible d'acheter seulement des parties d'une obligation, les coupons individuels postdatés, par exemple. Ces coupons sont un produit créé par les courtiers et les institutions financières, qui achètent des obligations de très haute qualité et offrent chaque coupon séparément à leurs clients. Ainsi, vous pouvez acheter un ou plusieurs coupons d'une obligation ou une obligation démunie de ses coupons.

L'avantage principal des coupons détachés est leur passivité. Les coupons détachés se vendent à escompte. On les achète pour les garder jusqu'à leur maturité, sachant d'avance l'ampleur du profit qu'ils peuvent engendrer. Par exemple, vous pouvez acheter aujourd'hui des coupons qui arrivent à échéance tous les 6 mois pendant les

10 prochaines années. Ces coupons ne sont pas cotés en Bourse, et leur marché n'est pas très liquide. Cela revient à dire qu'on les achète en vue de les garder jusqu'à leur échéance. Sachez enfin que les coupons sont très sensibles aux variations des taux d'intérêt du marché. Leur sensibilité peut d'ailleurs être fortement supérieure à celle des obligations.

Exemple

• • • • • • • • • • • • • • • • • • •

Considérons une obligation dont la valeur nominale est de 100 000 $. Cette obligation arrive à échéance dans 5 ans et offre un taux d'intérêt de 6 % par année, divisée en 2 coupons semestriels. Cette obligation comprend en tout 10 coupons qui permettent chacun à son détenteur d'encaisser une somme de 3000 $.

L'investisseur qui achète aujourd'hui le deuxième coupon qui expire dans 12 mois paie un montant de 2913 $ si le taux d'intérêt de 1 an est actuellement de 3 % (autrement dit, 3000 $ dans 12 mois valent aujourd'hui 2913 $). Si le même investisseur achète aujourd'hui le dixième coupon, celui qui expire dans 5 ans, il paie 2588 $. En d'autres mots, la valeur de 3000 $ dans 5 ans est aujourd'hui de 2588 $, si l'on considère le même taux de 3 %.

Le fait de conserver le même taux pour les échéances de un an et de cinq ans est théorique ; cela sert uniquement à prouver que, plus l'échéance est lointaine, plus le prix du coupon est bas. En réalité, le taux d'intérêt pour une échéance de 5 ans est habituellement supérieur à celui pour un terme de 1 an, et le prix du coupon pour une échéance de 5 ans sera encore plus bas que 2588 $. La formule pour le calcul d'une valeur présente, c'est-à-dire « valeur d'aujourd'hui », est la suivante :

$$VP = \frac{VN}{(1 + r)^n}$$

VP = valeur présente (ou valeur actualisée)

VN = valeur nominale (ou à l'échéance)

r = taux d'intérêt annuel

n = nombre d'années

À l'aide de cette formule, on peut produire le tableau 1.5. Vous obtenez le montant à débourser aujourd'hui pour acquérir 1000 $ de coupons détachés payables dans x années. Par exemple, si vous achetiez un coupon détaché d'une valeur nominale de 1000 $ portant un intérêt de 8 % et arrivant à échéance dans 20 ans, vous paieriez 215 $.

Tableau 1.5

Le coût d'un coupon détaché

ÉCHÉANCE (en années)	RENDEMENT							
	3 %	4 %	5 %	6 %	7 %	8 %	9 %	10 %
1	971	962	952	943	935	926	917	909
5	863	822	783	747	713	681	650	621
10	744	676	614	558	508	463	422	386
15	642	555	481	417	362	315	275	239
20	554	456	377	312	258	215	178	149
25	478	375	295	233	184	146	116	92

1.3.2 Les obligations convertibles

Les obligations convertibles sont émises par des sociétés. Les obliga-tions de ce type peuvent être échangées, au gré du détenteur, pour un nombre fixe d'actions ordinaires de la même société et à un prix déterminé d'avance.

En règle générale, ces obligations rapportent moins que les obligations ordinaires. Les investisseurs les achètent dans l'espoir que les actions ordinaires de la société s'apprécient et fassent augmenter la valeur du titre convertible. Quand le prix des actions ordinaires est inférieur à celui du prix de conversion, l'obligation se comporte comme une obligation ordinaire. Quand son prix est supérieur, la valeur de l'obligation correspond au prix des actions ordinaires.

1.3.3 Les obligations internationales

Les obligations de gouvernements étrangers et de sociétés étrangères de première qualité sont attrayantes si elles bénéficient d'un taux de change favorable et de rendements plus élevés. Toutefois, vous devez protéger vos gains contre les faiblesses de la devise étrangère.

En effet, imaginons que vous achetiez une obligation américaine dont le coupon est de 8 %. Vous payez 100 000 $US. En convertissant ce montant en dollars canadiens, vous obtenez 140 000 $CAN (considérant ce taux de change : $CAN/$US = 1,40). Après 6 mois, vous encaissez votre premier coupon de 4000 $US ou 5600 $CAN si le taux de change est demeuré inchangé. Imaginons maintenant que le taux de change passe à 1,30. En d'autres mots, le dollar canadien s'est apprécié par rapport à la devise américaine. Vous empocherez alors 5200 $ CAN. C'est 400 $ de moins que prévu !

Pour minimiser votre risque, vous feriez mieux d'orienter vos choix vers des obligations d'organismes internationaux, comme la Banque mondiale, et celles émises par des gouvernements d'économie solide, comme les pays de l'Union européenne.

1.4 COMMENT LIRE LES COTES DE LA BOURSE

Pour choisir ses actions, il faut être en mesure de lire les cotes boursières dans le journal. Même si, la première fois que l'on consulte cette section, on a l'impression d'être noyé dans une mer de statistiques, la lecture des cotes dans les journaux est somme toute très simple. Voici un exemple tiré de l'hebdomadaire *Les Affaires*.

Tableau 1.6

Les prix de titres de sociétés cotés à la Bourse de Montréal

Haut 52s	Bas 52s	Titre	Sym.	Haut $	Bas $	Clôt. $	Var. $	Vol. 00	Div. %	Bén. $	Cours /bén.
A/B											
2,05	0,85	ABL Cda	ABL	1,20	1,05	1,20	+0,15	449		0,01	
13,45	5,60	ADS	AAL	6,35	5,75	5,80	-0,95	139		0,17	34,1
0,33	0,12	AFCAN Mng	AFK	0,19	0,16	0,18		nt			
12,70	9,00	AGRA Inc	AGR	11,25	10,25	10,25	-0,50	6	1,5	0,06	
n 0,30	0,20	ARCA Expl	ACX	0,20	0,20	0,20	-0,05	61			
38,50	28,50	↑ATCO I	ACO	36,15	35,40	35,50	-0,75	258	1,9	2,74	13,0
37,75	29,00	ATCO II		36,20	35,90	35,90	-0,75	11	1,9	2,74	13,1
0,38	0,10	Abcourt	ABI	0,13	0,12	0,12	-0,01	100			
26,90	16,40	AbitibCons	A	18,55	17,15	17,60	-0,95	1915	2,3	0,60	29,3
8,00	6,75	↑AcierLerA	LER	7,50	7,50	7,50	-0,05	25		1,02	7,4
7,50	4,10	↑AcierLerB		6,15	6,10	6,10	-0,05	175		1,02	6,0
115,00	102,00	AcierLer8%		106,25	104,00	106,00	-2,50	419			
117,50	100,00	AcrLer725		108,00	106,00	106,00	-1,00	260			
8,00	3,50	↑AEterna	AEL	6,20	5,55	6,00	-0,25	818		0,00	
↓ 14,90	6,05	AgnicoEag	AGE	6,65	6,05	6,05	-0,05	221	0,5	-2,91	
1,75	0,76	Agritek	AGK	0,90	0,78	0,90	-0,03	848		-0,01	
0,11	0,04	Agromex	AOX	0,09	0,09	0,09	-0,01	100		-0,08	
↓ 15,40	8,45	AirCda	AC	10,00	8,45	9,10	-1,00	20840		1,99	4,6
↓ 14,90	7,50	↑AirCdaA		8,90	7,50	8,10	-0,90	10491		1,99	4,1
36,85	25,80	Alta Enrg	AEC	33,50	30,50	32,00	-1,65	560	1,3	-0,14	
53,75	35,25	Alcan	AL	39,00	36,50	37,95	-0,60	651	2,4	1,77	14,1
2,90	0,50	↑Algène B	AGN	0,65	0,50	0,50	-0,05	385		-0,17	
0,91	0,50	Algo A	AO	0,50	0,50	0,50		15		0,08	6,3
4,60	3,53	Algo pf 1		...	3,50	4,00		nt			
4,50	4,35	Algo pf 2		...	3,60	4,50		nt	7,0		
21,50	10,30	↑AlCoucheAATD		20,85	20,85	20,85		z1		0,75	27,8
21,75	10,20	↑AlCoucheB		18,00	17,55	18,00	+0,10	135		0,75	24,0
x 25,80	25,30	AlbncSpf	ABK	25,80	25,30	25,30	-0,15	11	5,0		
15,50	6,35	AllixBio	AXB	7,00	7,00	7,00	-0,15	4		-1,07	
32,25	12,10	Alliance A	AAC	28,00	27,50	27,50	-1,00	13		1,69	16,3
32,50	12,00	↑Alliance B		28,65	27,10	27,75	-1,25	137		1,84	15,1
↓ 36,50	17,70	AllnceFrst	ALP	19,50	17,70	17,90	-1,10	1418		0,78	22,9
1,25	0,30	Altavista	AIA	0,35	0,30	0,35		nt		-0,03	
10,25	8,00	Am Inc LP	AI	8,30	8,05	8,05	-0,15	38	19,8		
7,00	3,25	Amisco	IAC	5,95	5,05	5,95	+0,10	96	2,5	0,53	11,2
1,70	0,90	↑Amisk A	AS	1,50	1,38	1,49	-0,01	112		-0,10	
n 3,00	2,60	Amisk pf		2,75	2,75	2,75		71			
0,97	0,26	AnglSwiss	ASW	0,50	0,36	0,41	-0,01	872		-0,02	
0,35	0,08	Antoro	ORE	0,15	0,11	0,11	-0,01	510			
0,56	0,25	Appalachs	APP	0,30	0,27	0,27	-0,03	202			
n 0,10	0,05	AppalRwtA		0,07	0,05	0,07		nt			
2,20	0,95	ArdenPl	ARH	2,35	2,15	2,15		nt	2,3	0,46	4,7
n 0,51	0,15	ArenaGold	ARN	0,35	0,34	0,35	+0,03	105			
0,49	0,06	ArmstcRs	ACI	0,09	0,08	0,08	-0,01	1290			
34,55	15,25	Asbestos	AB	18,00	17,00	18,00	+1,50	7		0,79	22,8
↓ 6,75	1,05	Ashton	ACA	2,20	1,05	1,14	-1,26	148		-0,18	
24,50	13,00	↑AstraIA	ACM	21,10	21,10	21,10	+0,60	3	1,4	0,89	23,7
21,00	13,00	↑AstraIB		21,75	20,50	21,00		nt	1,4	0,89	23,6

Source : *Les Affaires*

Tableau 1.7

Les cotes des titres boursiers expliquées

Explication des cotes boursières

1	2	2	3	4	5	6	7	8	9	10	11	12
↓	↓	↓	↓	↓	↓	↓	↓	↓	↓	↓	↓	↓
Haut 52s	Bas 52s	Titre	Sym.	Haut $	Bas $	Clôt. $	Var. $	Vol. 00	Div. %	Bén. $	Cours $/bén.	

↑ 10,38	7,63	◊DorelA	DII	10,38	10,00	10,00	−0,13	41	0,68	0,82	12,2	
↑ 10,38	7,00	◊DorelB	ECO	10,38	9,88	10,25	+0,13	85	0,55	0,82	12,5	
1,70	1,05	◊DramexA		1,60	1,36	1,36	−0,14	45	0,23	0,38	3,6	

1 Flèches ↓↑Un nouveau sommet ou un nouveau bas pour les 52 dernières semaines.

2 52 semaines haut/bas Cours le plus élevé et le plus bas lors des 52 dernières semaines en $

3 Nom du titre

4 Sym. Symbole du titre.

5 Haut 6 Bas 7 Clôt. Le cours le plus élevé, le plus bas et à la fermeture la semaine dernière. Si le titre ne s'est pas transigé, les cours acheteur, vendeur, et celui de la dernière transaction sont mentionnés.

8 Var. Variation du cours en dollars par rapport à la semaine précédente.

9 Vol. Nombre d'actions échangées pendant la semaine X 100.

Note concernant le volume : **z** Lot brisé

10 Div. % Rendement du dividende annuel en pourcentage.

Notes concernant les dividendes : **f** Taux flottant, annualisé **r** Dividende en arriérage **y** Dividende payé en actions **p** Payé lors des 12 derniers mois incluant les dividendes spéciaux **u** Payé en $ US **v** Taux variable, annualisé sur la base du plus récent versement

11 Bén. $ Profit par action des quatre derniers trimestres en dollars.

12 Cours/bén. Ratio cours/bénéfice, ou le cours à la fermeture divisé par les profits par action des quatre derniers trimestres.

Caractères gras Le dividende et/ou les bénéfices par action ont été mis à jour cette semaine

Autres notes: *** Le titre est en $ US **x** Le titre s'échange ex-dividende **n** Le titre a été inscrit à la bourse depuis moins d'un an **s** Le titre a été fractionné ou consolidé depuis un an **a** Le titre de la compagnie a été distribué comme "spinoff" **◊** Le titre a des droits de vote inhabituels **f** Sujet à des règles spéciales de divulgation de la Bourse de Toronto

Source: Star Data Systems Inc. / The Financial Post

Source : *Les Affaires*

Prenons le titre de l'entreprise Alcan. Deux prix sont inscrits juste avant le nom de l'entreprise. Le premier (53,75 $) est le prix le plus élevé atteint par l'action de l'entreprise au cours des 12 derniers mois. Le deuxième (35,25 $) est le cours le plus bas que l'action a atteint pendant la même période.

Les autres colonnes du tableau 1.6 sont expliquées dans le tableau 1.7. Toutefois, quelques notes additionnelles peuvent aider à la compréhension de certaines statistiques plus pointues comme celles concernant le rendement du dividende annuel en pourcentage et le ratio cours-bénéfice de l'entreprise.

Les catégories de titres inscrits en Bourse

- Les actions

- Les bons de souscription

- Les droits de souscription

- Les reçus de versement

- Les débentures convertibles

- Les options sur actions

- Les options sur contrats à terme

- Les contrats à terme

1.4.1 Le rendement du dividende annuel en pourcentage

Reprenons le cas d'Alcan pour expliquer le rendement du dividende annuel. La colonne intitulée *Div. %* indique 2,4 %. Ce chiffre est obtenu ainsi :

$$\frac{\text{Dividendes distribués par la société au cours des 12 derniers mois}}{\text{Prix du titre à la plus récente clôture}}$$

(37,95 $ — voir colonne *Clôt. $*)

A priori, le pourcentage de 2,4 peut sembler faible par rapport au rendement en intérêts qu'il est possible d'obtenir sur le marché. Sachez qu'il en est presque toujours ainsi. En effet, les dividendes distribués aux actionnaires représentent un gain fait par les sociétés **après impôt**. Il est donc normal que le degré de taxation des dividendes encaissés par les actionnaires soit inférieur à celui des intérêts.

Évidemment, la différence entre le rendement de 6 % des coupons d'obligations et un rendement de 2,4 % en dividendes sur les actions de la société Alcan est moins grande après impôt. Au moment d'écrire ces lignes, le rendement en dividendes de l'entreprise Alcan est légèrement supérieur à celui des principaux indices boursiers canadiens, le TSE 300 de Toronto et le XXM de Montréal. Dans les faits, le rendement en dividendes est généralement plus faible que celui en intérêts, même après impôt. Mais attention, si vous avez à choisir entre une action et une obligation, il ne faut pas comparer seulement le rendement en dividendes avec celui des coupons !

Tableau 1.8

Qu'est-ce que le XXM?

(au moment d'écrire ces lignes)

C'est un indice composé de 25 titres de sociétés à forte capitalisation inscrits à au moins deux Bourses canadiennes.

Titre	Symbole
Alcan	AL
Banque canadienne impériale de commerce	CM
Banque de Montréal	BMO
Banque Scotia	BNS
Banque Royale du Canada	RY
Banque Toronto-Dominion	TD
BCE	BCE
Canadian Tire	CTR.A
Canadien Pacifique	CP
Imasco	IMS
Impériale	IMO
Inco	N
Laidlaw	LDM
MacMillan Bloedel	MB
Moore Corporation	MCL
Northern Telecom	NTL
Placer Dome	PDG
Renaissance Energy	RES
Rogers Communications	RCI.B
Seagram	VO
Société aurifère Barrick	ABX
Teck Corporation	TEK.B
Thompson	TOC
TransAlta Utilities	TA
TransCanada Pipelines	TRP

Une action a non seulement un rendement sous la forme de dividendes, mais elle offre aussi un potentiel de croissance, donc la possibilité de réaliser un gain en capital. Une obligation achetée au moment de son émission et gardée jusqu'à échéance n'offre à son détenteur que la valeur du coupon.

● ● ● ● ● ● ● ● ● ● ● ● ● ● ●

Un rendement en dividendes de 2,4 % d'un titre de société, accompagné d'un gain en capital en 1 an qui correspond à une augmentation de 10 % de la valeur du titre, donne un rendement global à coup sûr supérieur à celui provenant du coupon d'une obligation.

1.4.2 Le ratio cours-bénéfice

Le ratio cours-bénéfice, qui figure à la dernière colonne du tableau 1.6, se révèle une donnée fort intéressante. Le **bénéfice** se calcule ainsi :

$$\frac{\text{Montant des profits après impôt des 12 derniers mois}}{\text{Nombre d'actions en circulation de la société}}$$

Attention, il ne faut pas confondre les bénéfices et les dividendes. Les dividendes représentent la partie des bénéfices que la société a décidé de distribuer à ses actionnaires.

Par exemple, le ratio cours-bénéfice de la société Alcan est de 14,1. Il indique que le prix de fermeture d'Alcan (37,95 $), lorsqu'on le divise par le bénéfice par action des 12 derniers mois, donne 14,1. On notera que le bénéfice des 12 derniers mois est de 1,77 $US. Il faut alors convertir ce montant en dollars canadiens. Pour y arriver, rien de plus simple : multipliez 1,77 $US par le taux de change du moment (une statistique que vous trouverez dans les pages financières de votre journal), c'est-à-dire 1,5243 $CAN pour 1 $US. Le résultat de cette conversion est 2,70 $CAN. Il ne reste plus qu'à diviser 37,95 $ par 2,70 $ pour obtenir 14,1. Vous me suivez jusqu'ici ?

Ce ratio indique que le prix du titre surpasse 14,1 fois les bénéfices par action des 12 derniers mois. En d'autres mots, à ce rythme, on peut dire qu'il faut toucher des bénéfices pendant plus de 14 ans pour obtenir l'équivalent du prix actuel du titre. En général, si le ratio cours-bénéfice d'une société est bas, cela signifie que le prix de son action est moins élevé que celui d'une société dont le ratio est grand.

Il n'existe pas de ratio cours-bénéfice idéal. Aucun ratio ne peut nous indiquer *a priori* que les actions d'une société sont intéressantes à acheter ou à vendre. Ce ratio révèle toutefois la **cherté** du titre, qu'on peut aisément comparer à celle d'une autre société évoluant dans le même secteur ou encore par rapport à la moyenne des sociétés de ce secteur.

Bon ! Maintenant, vous êtes en mesure de lire les cotes des titres qui vous intéressent. Vous pouvez donc faire vos propres calculs. D'ailleurs, à partir de ces quelques chiffres, vous pouvez déterminer certaines données fort intéressantes comme l'**indice de volatilité** et l'**échelle de prix** dans laquelle il est probable que votre titre oscille.

1.4.3 L'indice de volatilité

Le cours le plus élevé et le cours le plus faible des 52 dernières semaines permet de mesurer le risque lié à un titre. On appelle cette donnée **indice de volatilité**. Le mot **indice** permet de distinguer cet indicateur de la vraie mesure du risque qui se nomme **volatilité**, un sujet que nous approfondirons dans la deuxième partie du livre. Voici la formule — elle fait peur au début, mais ne craignez rien — qui permet d'obtenir l'indice de volatilité :

$$IV = \frac{H - B}{\dfrac{H + B}{2}} \times 100$$

IV = indice de volatilité

H = le plus haut prix atteint par le titre au cours des 52 dernières semaines

B = le plus bas prix atteint par le titre au cours des 52 dernières semaines

Cet indice fonctionne un peu comme un thermomètre : plus le degré de volatilité est élevé et plus le titre est « chaud ». Quand le titre est chaud, on dit qu'il est **volatil** ou **risqué**. En appliquant la formule à l'exemple de la société Alcan, on obtient le pourcentage suivant :

$$41,6\% = \frac{53,75 - 35,25}{\dfrac{53,75 + 35,25}{2}} \times 100$$

L'indice de volatilité de 41,6 % de la société Alcan n'est pas très significatif en soi. Il devient utile lorsqu'on le compare à un indice de volatilité du marché boursier, par exemple l'indice XXM de la Bourse de Montréal, qui reflète le comportement de ses 25 titres canadiens les plus importants (l'indice XXM a atteint un sommet de 3971,66 points et un creux de 3111,54 points au cours des 12 mois correspondants).

En appliquant la formule de l'indice de volatilité à l'indice XXM, on obtient le résultat suivant :

$$24,29\,\% = \frac{3971,66 - 3111,54}{\dfrac{3971,66 + 3111,54}{2}} \times 100$$

On remarque que l'indice de volatilité de l'action d'Alcan (41,6 %) est supérieur à celui de l'indice XXM (24,29 %). Conclusion : le titre d'Alcan est plus **volatil** (c'est-à-dire plus risqué) que l'ensemble des titres qui composent l'indice XXM. Par ailleurs, si le titre d'Alcan est plus risqué que le XXM, on devrait s'attendre à ce que ce titre obtienne un rendement plus élevé. Mais ce n'est pas toujours le cas.

Le rendement du prix de l'action d'Alcan pour les 12 derniers mois est :

$52,48\,\% = [(53,75\,\$ - 35,25\,\$) \div 35,25\,\$] \times 100$

Celui de l'indice XXM est :

$27,64\,\% = [(3971,66 \text{ points} - 3111,54 \text{ points}) \div 3111,54 \text{ points}] \times 100$

Ainsi, si l'on avait investi tous nos fonds dans le titre d'Alcan, on aurait obtenu un rendement supérieur à celui de l'indice de la Bourse de Montréal. Il est donc plus risqué d'acheter le titre d'Alcan, mais on obtient également un rendement supérieur que si l'on avait la possibilité d'acheter l'indice lui-même.

Les hauts et les bas de la volatilité

Habituellement, les orages sont de courte durée et éclatent l'été. On dit que, en moyenne, ils ne durent que 15 minutes. Je peux donc m'attendre à ce que la majorité des orages dont je serai témoin dans ma vie présenteront ces deux caractéristiques. Cela dit, il est *possible* que le prochain orage dure 40 minutes et qu'il ait lieu en plein hiver. Mais bon, la probabilité qu'un tel événement se produise est plutôt faible.

C'est un peu la même chose avec le marché boursier. Certains titres (peu nombreux) génèrent des dividendes sans interruption depuis 80 ans. Il est alors difficile d'imaginer que ces sociétés puissent « sauter » un versement trimestriel. Mais comme l'orage qui, potentiellement, pourrait éclater en plein cœur de l'hiver, il est *possible* qu'une telle situation se présente.

Le titre de basse volatilité

Il existe des titres de basse volatilité, c'est-à-dire que leur valeur a presque toujours affiché un taux de croissance lent mais uniforme au fil des années. C'est le cas des titres du secteur bancaire canadien. Ainsi, il est pratiquement impossible que le prix des actions d'une banque canadienne tombe de moitié ou double en une semaine. Ce type de titre est reconnu pour sa grande stabilité ; il a une basse volatilité.

Le titre de haute volatilité

Pour parler des titres de haute volatilité, prenons l'exemple des actions des sociétés minières. La probabilité que de telles entreprises trouvent des gisements intéressants à exploiter est rarement connue d'avance (et c'est peut-être mieux ainsi... pensez à Bre-X !). Le prix des actions d'entreprises de ce secteur fluctue beaucoup. On dit que ce type de titre a une haute volatilité parce que sa valeur est tout simplement **imprévisible**.

> La volatilité représente donc le degré de risque de fluctuation du prix d'un titre. Elle indique la fiabilité avec laquelle on peut faire des prévisions sur la valeur future d'un titre.

Ainsi, plus la volatilité d'un titre est élevée, plus il est difficile d'émettre des prédictions qui tiennent debout. Mais attention, pour formuler un diagnostic éclairé, nous devons également considérer le facteur

temps. En effet, lorsqu'on affirme que le titre bancaire est prévisible et que le titre minier ne l'est absolument pas, on se base sur le **comportement passé** de ces titres. Mais de combien d'observations ou d'années faut-il disposer pour obtenir une évaluation statistique fiable de la volatilité?

Tout bon statisticien répondrait en disant que plus on compile de données, plus notre analyse prévoyant le comportement futur d'un titre aura des chances de se révéler juste. Si, depuis la nuit des temps, les causes d'un orage sont immuables, ce n'est pas le cas de la volatilité du titre d'une entreprise. Il serait même **imprudent** de chercher à prévoir les fluctuations d'un titre en utilisant les données de plusieurs années. En effet, le comportement de la société dans le passé reflète une entreprise qui n'est plus, à maints égards, celle d'aujourd'hui. C'est pourquoi les spécialistes limitent le calcul de la volatilité aux données d'**une année**.

Les facteurs de changement susceptibles d'influer sur les fluctuations du prix d'un titre sont :

- internes à la société (politique d'expansion, produits créés, type de gestion, etc.);

- externes à la société (marchés nationaux et internationaux, politique, fiscalité, marché des capitaux, taux d'intérêt, prix des matières premières, etc.).

Lorsqu'on analyse le secteur bancaire, on se rend vite compte que l'environnement du monde des capitaux a bien changé en 20 ans. Ces dernières années, les banques ont connu une période d'expansion à l'étranger, fait appel au marché de l'eurodollar, sont maintenant hautement informatisées et ont révisé entièrement leur mode de fonctionnement.

Tableau 1.9

La volatilité et la fiabilité des prévisions

Volatilité	*Degré d'incertitude des prévisions*
Élevée	Élevé Le degré de certitude que l'événement se produise est faible.
Faible	Faible Le degré de certitude que l'événement se produise est élevé.

Pour les boursicoteurs en herbe

La vraie mesure du risque

On dit qu'une image vaut 1000 mots. Graphiquement, on peut représenter la volatilité d'un titre à l'aide de la courbe de son prix. Pour vous en convaincre, prenez comme exemple les variations de prix d'un titre d'une société bancaire fictive (BCZ) et d'une société minière fictive, la société minière Klondike (SMK). Suivons l'évolution de leur prix au moyen des graphiques 1.1 et 1.2.

Graphique 1.1

Le titre de la société bancaire (BCZ)

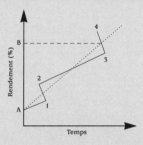

Graphique 1.2

Le titre de la société minière Klondike (SMK)

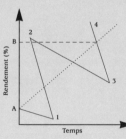

Dans les deux graphiques, on remarque que le rendement des titres est passé du niveau A (par exemple, 3 %) au niveau B (par exemple, 13 %). Le changement dans le rendement est donc le même pour les deux titres. Toutefois, le titre de BCZ a fluctué beaucoup moins autour de sa progression moyenne (voir la ligne pointillée) que le titre de SMK. Les fluctuations extrêmes sont symbolisées par les points 1, 2, 3 et 4 dans les deux graphiques. On calcule la volatilité à l'aide de la formule suivante :

$$VA = \sqrt{\frac{\sum_{1}^{n}\left(\dfrac{X_m - X_p}{X_p}\right)^2}{n-1}} \times \sqrt{252}$$

VA = volatilité annualisée

X_m = prix du titre à la clôture (aujourd'hui)

X_p = prix du titre à la clôture (hier)

n = nombre de jours d'observation

252 = nombre de jours où la Bourse est ouverte dans une année

Pour calculer la volatilité sur une base annuelle, on n'a pas besoin des prix à la clôture (X_m et X_p) de tous les jours pour une année entière. On se sert habituellement des prix de clôture d'un mois (n = 20 séances), puis on annualise le résultat en multipliant par la racine carrée de 252. On présente au tableau 1.9 un exemple de calcul de la volatilité annualisée basée sur cinq jours de données.

Tableau 1.10

Le calcul de la volatilité d'un titre turbulent basé sur cinq prix de clôture

1	2	3	4	5	6
Calendrier (nombre de jours)	Clôture d'aujourd'hui ($)	Clôture de la veille ($)	Différence entre les colonnes 2 et 3 ($)	Résultat de la colonne 4 divisé par la colonne 3	Résultat de la colonne 5 au carré
(n)	(X_m)	(X_p)	$(X_m\text{-} X_p)$	$\left(\dfrac{X_m - X_p}{X_p}\right)$	$\left(\dfrac{X_m - X_p}{X_p}\right)^2$
1	50	—			
2	53	50	3	0,06	0,0036
3	52	53	-1	-0,02	0,0004
4	54	52	2	0,04	0,0016
5	57	54	3	0,05	0,0025
Total					0,0081

On divise ensuite le total de 0,0081 par 4 (= n –1). Le résultat est 0,0020. Puis, on extrait la racine carrée de 0,045. Il faut maintenant multiplier ce résultat par la racine carrée de 252 (c'est-à-dire 15,87). En multipliant 0,045 par 15,87, on obtient 0,714 ou 71,40 %. Ce pourcentage correspond à la volatilité annualisée basée sur les prix à la clôture de cinq jours et il représente le degré de risque affiché par le titre. Plus ce pourcentage est grand, plus le titre représente un investissement incertain.

Pour comprendre de quelle façon est faite la mise à jour des calculs, supposons que vous ayez en main les résultats de la sixième journée d'activité boursière. On ajoute alors à la liste des prix (colonne 2) le nouveau prix de clôture et on enlève le résultat du premier jour d'activité. Puis, on recommence les calculs avec cette nouvelle série de cinq clôtures. À la fin du septième jour, on ajoute à la colonne le nouveau prix à la clôture, on laisse tomber celui devenu le premier de la liste et on recommence les calculs. Évidemment, une calculatrice programmable peut faire tous ces calculs automatiquement. Un chiffrier électronique (Excel, Lotus 1-2-3 et Quattro) permet également l'automatisation de ceux-ci.

La volatilité et le calcul de l'échelle de prix

Il y a 68 % de probabilités que le prix du titre soit, dans 1 an, à l'intérieur d'une échelle de prix dont les extrémités sont :

- le prix actuel plus sa volatilité ;
- le prix actuel moins sa volatilité.

Cette probabilité est **fixe**. Il s'agit d'une expression numérique qui correspond à ce qu'on appelle un **écart type** dans le domaine de la statistique. Pour que vous saisissiez bien ce que je veux dire, supposons que le prix du titre de notre société minière (SMK) s'établit actuellement à 50 $ et que sa volatilité annualisée s'élève à 71 %. Le prix supérieur de l'échelle est alors 85,50 $ [50 $ + (50 $ x 0,71)] et son prix inférieur, 14,50 $ [50 $ - (50 $ x 0,71)]. Autrement dit, **il y a deux chances sur trois que le prix de SMK se situe entre 14,50 $ et 85,50 $ dans 1 an.** Le taux de volatilité à 71 % est élevé ; on le constate en voyant l'étendue de l'échelle de prix dans laquelle le titre peut se retrouver dans un an.

Considérons maintenant le titre de BCZ. Son prix unitaire est également de 50 $; toutefois, il présente une volatilité de 14 %. Sa volatilité est cinq fois moins élevée que celle de SMK. Le calcul des deux extrémités de l'échelle de prix est simple : 14 % de 50 $ donne 7 $. On obtient ainsi 43 $ à une extrémité et 57 $ à l'autre extrémité.

On constate la faible volatilité de ce titre en analysant l'échelle de prix pour une période d'un an. En effet, le prix pourra osciller entre 43 $ et 57 $ (l'échelle est plus restreinte que celle du titre de SMK). Investir dans le titre minier de SMK est effectivement **plus risqué** qu'investir dans le titre bancaire de BCZ.

Tableau 1.11

La volatilité des titres de BCZ et de SMK

Volatilité	Titre	68 % de probabilités que le titre soit, dans 1 an, au prix actuel ± la volatilité	68 % de probabilités que le prix du titre se trouve dans 1 an
Basse	BCZ	14 % de 50 $ = 7,00 $	entre 43 $ et 57 $
Haute	SMK	71 % de 50 $ = 35,50 $	entre 14,50 $ et 85,50 $

La Bourse de Montréal offre un service d'information remarquable sur la volatilité. Elle publie mensuellement des tables dans lesquelles on trouve la volatilité des titres qu'elle cote. Les investisseurs peuvent les obtenir auprès du bureau des statistiques moyennant des frais minimes.

Par exemple, le tableau 1.12 reproduit, avec la permission de la Bourse de Montréal, deux pages de titres accompagnés de leur volatilité.

Tableau 1.12

Le rapport de volatilité des titres cotés à la Bourse de Montréal entre juillet 1997 et juin 1998

Titres sous-jacents / Underlying Securities	Moyenne / Average	1998						1997					
		Juin/June	Mai/May	Avr./Apr.	Mar./Mar.	Fév./Feb.	Jan./Jan.	Déc./Dec.	Nov./Nov.	Oct./Oct.	Sept./Sept.	Août/Aug.	Juillet/July
A	33.58	36.60	31.42	27.51	32.50	27.85	49.09	43.93	26.81	45.47	24.20	23.21	32.41
ABX	44.03	41.08	31.43	40.97	41.81	49.52	71.76	55.39	43.04	49.84	38.74	28.49	40.33
AC	33.07	33.54	20.44	27.72	32.37	57.54	37.77	23.25	27.41	35.43	41.08	21.19	39.15
AEC	23.97	35.51	15.53	15.85	24.11	23.25	35.07	30.86	24.69	26.07	16.09	16.28	24.33
AGE	60.86	57.72	38.07	78.32	52.84	54.70	85.00	96.86	87.97	52.79	45.79	36.25	44.05
AL	27.26	26.37	22.86	18.85	27.88	26.01	38.24	25.95	20.59	40.26	27.39	22.49	30.18
ATY	39.38	43.70	27.72	55.53	36.01	50.57	50.11	25.64	22.87	50.15	34.53	26.32	39.42
AXB	50.04	45.05	38.29	34.36	65.28	57.36	45.97	51.29	45.85	48.32	62.33	33.12	63.20
BBD B	26.45	26.14	14.04	38.46	25.12	28.31	29.63	16.62	30.64	25.39	20.47	41.57	21.01
BCB	48.42	45.32	42.44	71.60	39.04	83.94	64.50	29.49	35.60	57.70	62.44	16.87	32.01
BCE	26.08	29.65	22.34	27.26	28.11	19.72	24.50	34.38	26.15	33.45	18.47	19.93	28.98
BCH	48.44	32.22	33.76	40.53	23.45	38.74	78.46	44.99	44.39	79.79	47.01	50.20	67.68
BCT	29.13	20.79	23.95	40.17	30.66	33.44	37.80	48.76	10.55	43.04	15.52	20.69	24.14
BGO	68.28	55.79	50.66	69.77	53.49	51.39	80.56	91.24	107.73	82.70	81.33	31.64	63.03
BMO	26.96	19.62	17.45	27.15	14.74	25.03	71.43	30.14	32.75	30.71	19.06	17.76	17.63
BNS	28.98	29.07	28.39	39.05	20.74	27.98	54.36	28.44	26.02	29.82	18.04	23.88	21.95
BRA	63.21	52.67	68.51	65.63	113.03	53.22	43.42	89.86	81.54	42.52	55.98	32.72	59.45
BVF	42.56	42.96	34.19	81.11	37.38	39.77	42.93	54.01	21.58	50.95	27.16	38.24	30.41
CAE	25.73	22.83	36.36	35.20	21.89	23.22	33.08	20.39	27.79	24.20	30.31	14.63	18.86
CAS	25.38	19.15	17.98	22.69	31.05	26.01	21.97	20.34	15.45	42.55	17.72	51.16	18.26
CBJ	54.27	40.86	38.34	45.37	42.57	57.92	70.17	68.05	76.29	74.66	66.99	32.33	37.70
CCO	33.08	38.57	29.42	34.89	23.66	22.98	41.00	53.91	27.04	41.21	27.86	30.36	26.03
CM	31.68	25.21	19.17	42.62	28.68	34.28	52.52	32.48	28.35	38.10	19.50	23.17	36.06
CNR	24.06	27.58	15.30	16.79	13.03	39.38	24.81	26.20	25.20	41.15	13.94	16.07	29.27
CP	26.05	24.32	27.49	26.28	25.48	19.89	44.15	32.90	20.85	19.95	19.12	21.37	30.78
CRS	32.15	38.47	26.28	24.63	37.89	28.63	58.95	44.81	24.96	32.08	23.99	20.35	24.71
CTR A	26.81	32.53	23.50	16.40	24.72	25.83	28.73	29.42	26.01	38.83	23.30	29.25	23.25
CXY	30.43	33.71	28.46	21.98	37.47	21.26	44.55	27.02	21.82	39.38	16.57	22.40	50.58
DFS	24.08	24.40	19.57	13.42	20.53	19.33	27.98	24.11	40.05	22.91	22.27	23.59	30.80
DJR	134.69	218.45	105.81	116.79	145.44	148.70	167.45	160.96	156.55	111.56	102.88	75.68	105.99
DTC	32.76	29.74	23.89	31.57	36.29	27.69	45.39	33.75	38.67	44.74	29.44	20.75	31.15
ECO	70.89	70.59	55.11	94.39	78.04	41.00	93.32	104.05	125.80	69.25	53.64	27.72	37.82
EIC	66.52	66.74	39.48	40.81	85.94	81.24	60.15	61.15	56.38	99.60	79.80	67.37	59.56
FCC A	30.64	27.78	33.20	30.76	35.52	30.32	32.82	30.44	28.57	19.80	35.63	32.40	30.39
FL	34.23	28.93	33.58	37.98	29.76	23.29	48.82	21.69	48.88	53.77	31.55	24.21	28.26
G A	53.14	45.34	33.97	56.64	42.10	27.90	73.64	85.25	41.12	64.12	41.12	28.41	53.00
GIB A	53.51	55.60	58.28	21.74	44.00	40.90	61.83	57.32	44.49	47.62	39.35	101.06	49.88
GLG	65.60	50.36	52.33	100.68	68.06	86.97	73.75	83.90	96.49	99.77	19.77	60.51	32.24
GOU	44.43	62.29	35.46	30.97	35.21	59.98	81.23	48.51	28.32	42.03	42.17	34.73	27.10
IMO	21.32	28.26	34.18	14.36	22.99	10.10	22.82	15.41	19.88	36.11	17.38	18.21	15.16
IMS	21.51	22.25	15.59	13.87	12.19	17.60	27.96	31.48	30.04	24.90	16.38	18.78	27.10

IMX	35.10	28.59	27.65	21.76	23.39	33.02	44.51	36.43	50.39	56.69	36.21	23.22	39.09
LDM	29.14	34.53	19.53	34.08	23.17	19.66	35.15	31.31	30.44	42.37	27.73	19.33	32.41
LTV	33.92	36.60	16.46	52.11	35.16	45.34	62.82	23.92	27.36	22.42	24.43	29.76	28.59
LWN	27.96	18.30	23.78	26.29	20.15	31.56	35.54	30.60	36.58	30.44	48.28	24.38	9.62
MB	32.63	37.30	29.77	27.15	30.15	36.89	44.43	32.76	43.48	43.17	34.12	26.35	14.93
MCL	31.81	39.51	26.34	29.04	32.31	44.52	24.53	39.23	22.07	43.47	38.88	19.80	21.99
MGA	24.79	27.53	30.09	27.08	37.36	16.48	24.53	21.77	22.14	26.43	23.32	18.83	21.97
MLT	43.74	59.10	39.74	43.65	23.76	53.04	47.49	32.42	40.57	70.62	35.04	37.08	42.35
MWI	41.95	72.81	37.67	57.45	18.44	33.64	68.09	26.02	29.81	65.16	46.41	22.15	25.75
MX	28.42	22.00	27.58	22.65	22.78	22.45	25.72	30.30	25.89	25.73	68.21	29.57	18.18
N	34.33	32.02	28.41	32.87	33.69	29.90	47.72	42.04	44.09	38.48	32.47	24.00	26.29
NA	30.25	28.71	20.92	36.14	26.99	21.80	60.59	37.59	37.48	35.42	16.92	19.92	20.57
NNC	61.42	62.90	44.85	52.06	58.54	99.27	76.60	59.52	88.28	49.58	64.15	45.56	35.75
NOR	30.28	29.13	27.32	27.57	21.97	25.67	44.34	35.30	43.28	40.08	21.79	16.68	30.23
NSI	17.10	15.57	26.42	17.02	15.03	18.61	19.46	16.36	24.27	15.41	13.48	11.06	12.55
NTL	39.41	58.29	32.84	41.41	39.36	30.10	50.93	37.55	47.42	47.42	27.92	29.59	38.75
NCX	20.17	n/a	17.88	13.22	14.43	11.72	28.27	19.34	24.20	46.27	12.85	19.63	14.02
OBA	38.25	0.98	432.06	2.45	1.67	1.34	3.28	2.44	2.57	3.08	2.28	3.44	3.46
OBK	40.57	2.31	431.59	4.69	4.36	2.50	5.47	4.87	3.39	8.14	6.11	6.23	7.23
OBV	41.95	3.72	431.23	6.28	5.90	3.85	6.81	6.33	3.66	10.32	7.97	8.29	9.07
OBZ	42.89	4.06	436.60	6.74	6.39	4.14	7.38	6.96	3.91	11.42	8.58	8.76	9.74
OR	14.64	16.75	11.07	12.18	11.20	14.13	20.12	16.99	16.48	19.73	9.43	11.83	15.78
PCA	30.13	33.60	19.41	20.33	25.89	22.71	44.53	36.08	33.67	40.43	29.56	28.75	26.58
PDQ	52.07	45.54	39.21	57.49	50.70	43.47	76.77	63.93	44.39	73.51	44.65	29.89	55.25
PGU	134.52	111.67	112.23	235.69	263.94	153.77	269.84	85.71	55.89	34.97	56.60		
PHX	41.82	46.65	34.93	22.87	32.35	62.33	26.28	77.18	46.88	41.22	18.45	36.34	55.30
POW	22.62	25.43	26.96	17.57	14.63	14.26	27.86	19.18	23.98	40.89	17.43	20.63	22.62
PWF	24.29	22.92	27.50	19.09	16.90	15.78	30.09	20.72	25.45	42.93	30.50	28.51	21.03
QLT	45.62	23.16	41.03	40.49	43.56	51.93	44.69	25.45	71.92	42.15	61.66	34.08	45.47
RCIB	62.65	82.23	82.78	49.10	86.49	65.43	88.90	55.53	77.28	50.25	37.68	26.32	49.81
RES	28.74	39.00	20.85	21.87	30.86	33.89	41.22	23.44	22.68	25.87	19.10	29.14	37.01
RGO	35.34	46.64	26.06	21.12	53.90	27.69	45.31	37.26	33.34	38.39	32.87	38.86	22.41
RPP	99.55	72.88	55.19	84.85	63.09	66.79	76.80	192.96	82.78	76.84	63.63	87.60	271.13
RY	21.17	16.30	18.59	21.49	9.99	19.35	36.38	26.29	46.25	45.95	14.64	22.18	17.99
RYG	31.40	38.48	24.13	27.87	22.79	29.89	28.65	28.76	47.44	45.93	35.73	17.72	29.38
STEA	33.07	34.42	26.42	16.27	43.46	21.28	34.31	40.02	35.82	37.33	40.12	25.71	41.65
SU	32.06	21.83	31.06	18.87	31.93	24.90	27.92	31.75	30.15	30.15	31.81	34.93	68.38
T	24.64	24.43	14.51	34.92	46.32	20.53	19.66	30.06	23.32	28.00	16.61	15.89	21.45
TA	19.66	12.10	18.80	19.67	18.91	16.73	31.45	20.92	30.34	24.88	13.45	13.86	14.76
TD	27.83	21.16	21.15	43.05	17.45	29.34	53.15	23.37	30.09	38.13	16.43	18.93	21.67
TEKB	38.82	30.76	29.66	45.36	23.05	38.21	52.63	53.56	46.25	45.95	41.42	22.13	36.80
TGO	26.64	40.63	34.68	19.63	36.02	23.04	29.65	22.26	17.46	30.07	26.83	20.25	19.19
TLM	32.97	39.10	20.10	21.03	39.35	29.02	58.24	32.46	36.51	43.91	23.14	20.34	32.41
TOC	27.13	31.14	20.87	29.98	18.20	25.57	36.29	33.56	25.13	35.02	21.06	20.70	38.04
TRP	14.82	17.70	15.85	11.41	13.81	9.84	21.81	12.84	20.17	16.04	13.59	11.27	13.45
TRZ	33.11	31.69	23.90	24.86	33.79	27.35	58.70	22.54	23.15	42.29	39.88	34.31	34.88
TVX	71.98	63.41	97.43	78.46	61.89	89.01	111.61	65.10	58.40	49.14	61.46		
TZH	20.15	14.57	16.95	13.97	10.39	18.00	29.25	21.29	28.35	27.91	23.92	17.74	19.41
VO	27.85	21.84	41.41	31.82	15.57	35.10	36.96	20.38	18.41	46.37	21.34	27.47	18.75
XXM	16.10	17.80	13.59	12.17	9.91	10.63	23.28	18.73	18.36	27.48	13.21	12.61	15.45

Notes explicatives

1. La première colonne indique les symboles :
   - des titres de société, comme AGE (Agnico Eagle) ou BMO (Banque de Montréal) ;
   - des obligations du gouvernement canadien, comme OBA (obligations expirant en 2001) ;
   - de l'indice global de la Bourse de Montréal, le XXM.

2. La deuxième colonne donne la volatilité annualisée des 12 derniers mois (de juillet 1997 à juin 1998). Par exemple, la volatilité de la société AGE (60,86 %) est obtenue en additionnant les 12 indices de volatilité qui suivent sur la même ligne : celui de juin 1997 (57,72 %), celui de mai 1997 (38,07 %), etc., jusqu'en juillet 1997. Ensuite, on divise le total par 12.

3. Dans la troisième colonne, on indique la volatilité annualisée calculée avec la ving-taine de prix à la clôture du mois de juin 1998. Dans la quatrième colonne, on donne la volatilité annualisée, calculée avec la vingtaine de prix à la clôture du mois de mai 1998. Et ainsi de suite pour les autres colonnes.

En analysant la volatilité d'AGE, de BMO, d'OBA ainsi que de l'indice XXM du tableau 1.12, on constate deux faits importants :

- La volatilité moyenne des quatre valeurs n'est pas la même. Celle du XXM est la plus basse. Ici, contrairement à d'habitude, la volatilité des obligations du gouvernement canadien est excep-tionnellement élevée — elle reflète un changement important dans le mois de mai 1998. En effet, en règle générale, la volati-lité des obligations du gouvernement canadien est faible. Celle de l'indice XXM, comme c'est le cas pour tous les indices ordi-nairement, est modérée parce qu'un indice est obtenu en faisant la moyenne des fluctuations, c'est-à-dire de la turbulence des titres qui le composent.

Le titre d'AGE, une société minière, est décidément plus volatil que le titre de BMO. En fait, par définition, un titre bancaire se doit d'être **peu volatil**. Voyez-vous, ce serait un non-sens que la volatilité du titre d'une banque soit égale à celle d'un titre minier! Traditionnellement, une banque doit refléter la stabilité et la confiance qu'on lui témoigne en tant que gardien de l'argent qu'on y dépose.

- La volatilité d'un titre n'est jamais constante dans le temps. Par exemple, la volatilité du titre d'AGE est passée de 36,25 % en août 1997 à 96,86 % en décembre 1997. L'indice XXM a varié entre un point culminant de 19,47 % (mars 1997) et un point de 7,36 % (sept. 1996).

1.4.4 Les indices boursiers

L'ensemble des titres cotés en Bourse représente ce qu'on appelle le **marché**. Le marché boursier est régionalisé, car chaque pays possède le sien, formé de titres de sociétés locales. Parfois, les titres représentent des sociétés multinationales ; ils sont alors cotés aux Bourses de différents pays. C'est le cas de plusieurs titres canadiens (Alcan, Bombardier, Nortel) ou de titres américains (IBM, GM, Xerox). Toutefois, la majorité des titres listés sur un parquet boursier ont leur activité principale dans le pays où se trouve ce parquet.

Tableau 1.13

Les principaux indices boursiers

Indices boursiers

	Fermeture	Variation	Ratio	52 semaines	
		en 1	Cours		
	98-07-31	semaine	/bén.	Haut	Bas
Bourse de Montréal					
XXM	3340,19	-154,97	26,45	3971,66	3111,54
Banque	6203,92	-632,40	12,73	8233,99	5156,03
Mines et métaux	1855,40	-15,59	92,57	3137,49	1855,40
Pétrole et gaz	2300,18	-72,16	31,12	3084,42	2221,82
Prod. forestiers	2267,93	-42,19	37,84	3114,36	2120,95
Prod. industriels	3841,61	-146,13	18,84	4335,17	3072,08
Serv. publics	4072,14	-31,30	60,48	4543,14	2968,18
Bourse de Toronto					
TSE 300	6641,09	-290,34	28,64	7835,75	6066,69
TSE 200	386,34	-14,78	80,91	473,29	365,62
TSE 100	401,57	-22,99	25,13	477,64	367,51
TSE 35	363,70	-15,68	29,13	427,10	325,71
Mines et métaux	3188,55	-37,41	28,61	5425,78	3096,47
Or et métaux précieux	5293,22	-100,29	n.d.	9257,80	5185,18
Pétrole et gaz	5379,95	-200,96	39,27	8094,31	5232,81
Pâtes et papiers	4002,28	-88,42	23,28	5447,63	3722,68
Produits de consommation	11003,94	-383,31	23,20	12537,10	9728,88
Prod. industriels	4956,06	-202,21	26,40	5896,20	4432,72
Immeubles et construction	2478,42	-54,29	24,72	3015,08	2440,73
Transport + Envir.	6570,15	-2,47	12,55	9374,31	6390,94
Pipelines	6160,08	-194,54	14,64	7252,80	5461,25
Services publics	7524,26	-82,95	n.d.	8413,15	5185,39
Comm. & médias	15062,21	-134,14	23,51	16216,83	11659,37
Commerce	5871,12	-320,26	25,41	6792,47	5338,98
Serv. financiers	8989,07	-825,34	13,84	10881,08	6892,22
Conglomérats	9040,89	-318,80	11,97	11030,92	7851,75
Biotechnologie	1555,22	-64,05	61,66	1885,79	1321,47
Bourses (États-Unis)					
DJ. 30 ind	8598,02	-285,27	21,80	9337,97	7161,15
DJ. transport	3100,77	-129,54	12,60	3686,02	2864,96
DJ. serv. publics	277,06	-1,59	19,80	295,40	228,51
DJ. 65 actions	2702,28	-83,78	n.d.	2960,79	2358,51
NYSE composé	549,50	-15,77	n.d.	600,75	463,21
Amex	684,07	-22,19	n.d.	753,67	634,59
S & P 500	1089,45	-31,22	27,55	1186,75	876,99
NASDAQ	1846,77	-25,62	n.d.	2014,25	1499,53
Bourses (international)					
Francfort (Dax)	5598,32	-262,87	n.d.	6171,43	3567,22
Hong Kong (H.S.)	7018,41	-917,79	n.d.	16673,27	7018,41
Londres (F.T.100)	5680,40	-156,60	n.d.	6179,00	4711,00
Mexique (IPC)	3844,93	-400,03	n.d.	5369,48	3844,93
Paris (CAC)	4141,88	-135,43	n.d.	4388,48	2651,33
Tokyo (Nikkei 225)	15829,17	-549,80	n.d.	20575,26	14664,44
Europe, Asie, Extrême-Orient	847,90	-42,70	n.d.	925,60	694,30

Dollar canadien

	Ferm.	Ferm.	Ferm.	1997-1998	
	98-08-07	98-07-31	98-07-24	Haut	Bas
New York en $ US	65,71	66,14	66,71	72,88	65,15

Tableau : LES AFFAIRES

Le marché est habituellement caractérisé par ce qu'on appelle un **indice du marché global** (par exemple, le Dow Jones des Industriels pour le marché américain et le TSE 300 de la Bourse de Toronto pour le marché canadien). La valeur des principaux indices est présentée chaque semaine dans l'hebdomadaire *Les Affaires*. Le tableau 1.13 sert d'exemple.

Les principaux indices canadiens sont le XXM de la Bourse de Montréal et le TSE 300 de la Bourse de Toronto (la deuxième plus grande Bourse de titres de sociétés en Amérique du Nord après le New York Stock Exchange — ou NYSE). On offre aussi des sous-indices ou des indices de secteurs comme celui des banques ou celui des produits industriels.

Tableau 1.14

Le marché des actions de la Bourse de Montréal

Les faits saillants au 31 décembre 1997

Nombre de sociétés inscrites à la Bourse de Montréal	577
Nombre de nouvelles sociétés inscrites en 1997	65
Nombre de titres inscrits à la cote de la Bourse de Montréal	852
Nombre de membres à la Bourse de Montréal	79
Nombre de sociétés canadiennes inscrites à la Bourse de Montréal	565
Nombre de sociétés étrangères inscrites à la Bourse de Montréal	12

Comparaison de l'activité entre les principales bourses canadiennes

	Valeur ($) 1997	Part de marché (%)	Valeur ($) 1996	Part de marché (%)
Montréal	61 911 298 182	12,43	50 166 152 424	13,58
Toronto	423 169 614 970	84,99	301 298 938 253	81,56
Vancouver	8 971 172 931	1,80	12 003 512 484	3,25
Alberta	3 872 185 892	0,78	5 971 905 081	1,62
Total	497 924 271 975	100,00	369 440 508 242	100,00

Autres données intéressantes au 31 décembre 1997

Sociétés dont le siège social est situé au Québec	292
Firmes spécialisées	8
Négociateurs sur le parquet	160
Spécialistes sur le parquet	59

Capitalisation boursière	*Valeur au marché*	
	1997	**1996**
Sociétés canadiennes	636 443 461 262 $	539 640 406 961 $
Sociétés étrangères	114 403 516 597 $	99 341 724 792 $
Total	750 846 977 859 $	638 982 131 753 $

La Bourse de Montréal au fil des ans

1874	Année de fondation de la Bourse de Montréal
1975	Lancement des options d'achat sur actions
1977	Lancement des options de vente sur actions
1982	Lancement des options sur obligations du gouvernement du Canada
1988	Lancement des contrats à terme sur acceptations bancaires canadiennes de trois mois (BAX)
1989	Lancement des contrats à terme sur obligations du gouvernement du Canada de 10 ans (CGB)
1990	Introduction du registre électronique des ordres
1991	Introduction des options sur contrats à terme liés aux obligations du gouvernement du Canada de 10 ans (OGB)
1992	Lancement des options sur actions à long terme (LEAPS[md])
1993	Pour la première fois depuis le début des années 1990, le XXM franchit la barre des 2000 points
1994	Lancement des options sur contrats à terme liés aux acceptations bancaires canadiennes de trois ans (OBX)
1995	Introduction des contrats à terme liés aux obligations du gouvernement du Canada de cinq ans (CGF)
1996	Le XXM franchit la barre des 3000 points

Aux États-Unis, les principaux indices de référence sont le Dow Jones des Industriels, qui reflète le comportement de 30 titres, le Standard & Poor's 500 (S & P 500), qui est basé sur les 500 plus importantes sociétés américaines, et le NASDAQ, qui représente des titres non cotés sur les parquets boursiers. Dans la composition de ce dernier indice, on trouve bon nombre de sociétés de haute technologie. On y négocie les titres en suivant les cotations offertes par les négociateurs, un peu comme le font les banques quand elles offrent des taux de change pour les devises ou des taux d'emprunt. Le NASDAQ représente donc les titres américains « au comptoir » (on dit *over-the-counter* en anglais).

Sur le plan international, les autres indices les plus importants sont le Nikkei de la Bourse de Tokyo, le Financial Times 100 (FT100) de Londres, le DAX allemand et le CAC 40 de Paris.

Tableau 1.15

Les 30 *blue chips* du Dow Jones
(au moment d'écrire ces lignes)

AT&T	Hewlett-Packard
Allied-Signal	IBM
Aluminum Co. of America	International Paper
American Express	J. P. Morgan & Co.
Boeing	Johnson & Johnson
Caterpillar	McDonald's
Chevron	Merck & Co.
Coca-Cola	Minnesota Mining & Manufacturing
Disney	Philip Morris Cos.
Du Pont	Procter & Gamble
Eastman Kodak	Sears, Roebuck & Co.
Exxon	Travelers Group
General Electric	Union Carbide
General Motors	United Technologies
Goodyear	Wal-Mart Stores

En règle générale, les indices de référence sont exprimés en points. Ils sont le fruit de calculs statistiques plus ou moins complexes. Un seul indice, le Dow Jones, **est exprimé en dollars**. C'est le premier de toute l'histoire de la Bourse. Il a été créé en 1896 au moment où la compilation de statistiques n'était pas très au point. On calcule l'indice Dow Jones en additionnant le prix des 30 titres industriels qui le composent et en divisant par un nombre — qui n'est pas 30, comme on pourrait naturellement le penser — qui tient compte des divisions d'actions (*splits*) subies par les titres depuis qu'ils font partie de cet indice. On peut ainsi comparer l'indice d'aujourd'hui à celui du passé.

> Quand le prix des actions devient trop élevé, la plupart des entreprises procèdent à ce qu'on appelle un *split*. Si, par exemple, l'action atteint 100 $, la société émettrice la divise en 2 (dans le milieu, on dit qu'on la *splite*). L'actionnaire se retrouve alors avec 2 actions de 50 $.

Le fractionnement d'actions est une opération qui se traduit par une augmentation du nombre d'actions ordinaires en circulation. Proportionnellement, la participation de leurs détenteurs reste la même.

Les rouages d'un indice boursier

Quand on parle de variations d'un indice boursier, on a généralement recours à des points. Par exemple, si l'indice TSE 300 est à la hausse de 40 points, cela veut dire que, dans l'ensemble, le prix des titres qui le composent est à la hausse. Ainsi, quand l'indice monte, la somme des cotes des titres qui le composent est à la hausse, et vice versa quand l'indice est à la baisse.

Voici un exemple pour faciliter votre compréhension. Imaginez que vous créez vous-même un indice boursier formé de deux titres, les titres A et B. Initialement, le titre A est à 20 $ et le titre B, à 30 $. La somme des deux prix, divisée par 2, donne 25 $. On dira alors que notre indice est à 25 points. Une année après, le titre A est à 23 $ et le titre B, à 35 $. La somme des deux cotes divisée par 2 donne 29 $. L'indice est passé de 25 à 29 points. On parle donc d'une augmentation de 4 points en 1 an qui s'ajoutent aux 25 points que nous avions au départ, soit une augmentation de 16 %.

Toutefois, attention ! Cela ne signifie pas que, si l'on avait acheté ces deux titres un an auparavant lorsque l'indice était à 25 points, on se retrouverait aujourd'hui avec un gain de 16 %. En effet, si les deux titres ont distribué des dividendes, la valeur de notre compte n'a pas augmenté que de 4 $; à ce montant, il faut ajouter le revenu des dividendes.

Par exemple, les titres A et B ont distribué chacun 2 $ en dividendes au cours des 12 derniers mois. La valeur de votre compte après 1 an est donc de 33 $, et non plus de 29 $. D'une part, on a un rendement en plus-value de 16 % et, d'autre part, on y ajoute un revenu en dividendes correspondant à 16 % (4 $ ÷ 25 $ x 100). Le rendement de votre portefeuille est de 32 %, alors que l'indice boursier montre un accroissement de seulement 16 %. L'année suivante, à cause de l'effet magique des intérêts composés, votre portefeuille poursuit sa croissance, même si l'indice boursier n'a pas bougé et même si les sociétés A et B n'ont pas versé de dividendes. À condition, naturellement, que les dividendes soient investis dans les bons du Trésor ou les certificats de dépôt.

Les mouvements des indices boursiers ne tiennent pas compte des dividendes. Pour avoir une idée du gain réel d'un portefeuille, il ne faut pas le comparer seulement à l'appréciation de l'indice, mais plutôt à la valeur des 10 000 $ investis quelques années auparavant dans les deux titres. Cette somme consacrée à l'achat des deux titres a pris de la valeur grâce à l'appréciation de la valeur des titres, aux dividendes distribués et au réinvestissement de ces dividendes. Ce résultat ressemble davantage au fait d'investir 10 000 $ dans un certificat de dépôt qui se renouvelle continuellement — sur la base du calcul appliqué au tableau 1.1 — qu'au comportement d'un indice boursier qui augmente seulement s'il y a une croissance de la valeur des titres qui le composent.

Ces deux montants sont maintenant comparables parce qu'ils indiquent le rendement global qu'on obtient en additionnant :

- la plus-value des titres (le gain en capital) ;
- les dividendes distribués ;
- les intérêts composés sur ces dividendes, c'est-à-dire le réinvestissement des dividendes en titres.

Un investisseur dont le portefeuille aurait imité un indice boursier tant par sa composition que par sa pondération et qui aurait toujours réinvesti les dividendes aurait obtenu à long terme un rendement global supérieur à la dévaluation du pouvoir d'achat de la devise, due à l'inflation.

1.4.5 Un indice de référence crédible

Un indice boursier ne représente que quelques titres parmi tous ceux cotés sur un parquet. Pourquoi, alors, les indices sont-ils représentatifs de tous les titres ? La raison est bien simple. Les titres se comportent comme des moutons : ils se suivent à la queue leu leu une fois que le peloton de tête prend une direction. C'est pourquoi il existe une relation entre les mouvements de prix d'un titre et les autres titres cotés en Bourse, de même qu'entre le rendement d'un titre et le rendement du marché en général.

La vitesse à laquelle les titres fluctuent, que ce soit à la hausse ou à la baisse, n'est toutefois pas la même. On relève trois grandes catégories de titres sur le marché.

- Les titres peuvent être **précurseurs** :
  Ces titres anticipent les mouvements significatifs de l'ensemble du marché ; ils anticipent généralement l'indice boursier. Ils sont plus sensibles que les autres aux nouvelles économiques, politiques et sociales qui touchent l'ensemble du marché.

- Les titres peuvent être **coïncidents** :
  Ces titres représentent le marché mieux que tout autre. Ils bougent en même temps que le marché.

- Les titres peuvent être **retardataires** :
  Les titres retardataires bougent après que le marché a clairement indiqué sa tendance.

Ces trois catégories de titres se trouvent dans tous les secteurs et ils sont faciles à repérer, une fois que l'on prend un peu d'expérience. En effet, on a pu constater qu'**un titre est généralement fidèle à sa catégorie**.

On peut interpréter les indices économiques de la même façon. Par exemple, le taux de chômage est un indice retardataire : il reflète le passé. Cependant, l'indice de confiance des entrepreneurs est un indice précurseur : il reflète le degré de confiance qu'ont ces investisseurs dans l'avenir économique du pays. Si ces investisseurs sont optimistes, ils vont investir leur argent et seront à la source d'une plus grande activité économique.

1.4.6 Le bêta (ou volatilité relative)

On a vu que la volatilité de l'indice boursier XXM de la Bourse de Montréal a été en moyenne de 16,10 % au cours des 12 mois couverts dans le tableau 1.12. Ce pourcentage exprime le risque du marché. En d'autres mots, tout titre dont la volatilité est inférieure à ce palier est moins risqué que le marché lui-même, alors que tout titre ayant une volatilité plus élevée est plus risqué.

Évidemment, les oscillations de prix des titres ne représentent pas seulement des risques, mais aussi des occasions de réaliser des profits. On peut même affirmer que le risque et le profit vont dans la même direction : **plus grand est le risque, plus grande est la possibilité de faire un profit**. On peut d'ailleurs donner une valeur numérique à cette relation entre la volatilité du titre et la volatilité de l'indice boursier. Cette valeur porte le nom de **bêta**.

Le bêta illustre la **volatilité relative**, c'est-à-dire la relation qui existe entre le risque d'un titre et celui du marché, mais aussi entre les perspectives de profit offertes par le titre et celles offertes par le marché. Le marché est représenté par un indice de référence pour les titres des sociétés, soit l'indice boursier, ou par un indice hors Bourse, par exemple l'indice Scotia Capital pour les obligations. Le bêta du marché est toujours égal à un. C'est la référence.

Pour effectuer le calcul, on se reporte toujours à l'indice du marché (XXM, TSE 300, S & P 500, EAFE, etc.). Par exemple, si la volatilité de l'indice du marché est de 12,66 % et le titre bancaire de BCZ a une volatilité de 14 %, on peut dire que la volatilité relative du titre par rapport au marché est celle-ci :

$$1,11 = \frac{\text{Volatilité de BCZ}}{\text{Volatilité de l'indice XXM}} = \frac{14}{12,66}$$

Dans le cas de la société minière SMK, qui a une volatilité de 71 %, on a :

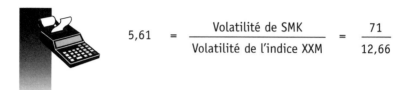

$$5,61 = \frac{\text{Volatilité de SMK}}{\text{Volatilité de l'indice XXM}} = \frac{71}{12,66}$$

On dira alors que le titre de la société minière Klondike est beaucoup plus volatil que le marché et donc plus risqué que ce dernier, alors que notre titre bancaire présente sensiblement la même volatilité que le marché.

Un troisième titre, celui de la société fictive ACCA, avec une volatilité de 6 %, montre une sensibilité inférieure à celle du marché :

$$0,47 = \frac{\text{Volatilité de ACCA}}{\text{Volatilité de l'indice XXM}} = \frac{71}{12,66}$$

Ainsi, le titre de ACCA est-il 12 fois moins risqué que le titre de SMK et environ 2 fois moins risqué que le titre de BCZ. Nous vous présentons les volatilités relatives de nos titres fictifs au tableau 1.17.

Quand le bêta d'un titre est égal à 1, cela veut dire que le rendement du titre est le même que l'indice du marché. Quand le titre a un bêta plus élevé que 1, son rendement, en principe, est supérieur à celui de l'indice. Par exemple, s'il est égal à 2, cela veut dire que le titre gagne en pourcentage le double de l'indice dans le cas d'une hausse, ou perd le double dans le cas d'une baisse du marché.

Quand un titre affiche un bêta inférieur à 1, son rendement est moindre que celui du marché. Par exemple, s'il est égal à 0,5, le titre gagne seulement 5 % quand l'indice augmente de 10 %. En conséquence, lorsqu'il y a baisse, ce titre perd moins de valeur que l'indice. Le tableau 1.16 résume le sens du bêta et la signification de **risque implicite**. Le rendement étant lié au risque (donc à la volatilité), le bêta représente aussi le risque du titre par rapport au risque général du marché.

Tableau 1.16

Le bêta, ou la mesure de la volatilité d'un titre par rapport à celle d'un indice boursier

L'indice boursier gagne 10 % en un an (*)

Bêta de l'indice	Bêta du titre	Gain du titre (%)	Risque de l'investissement
1,0	0,5	5	conservateur
1,0	1,0	10	égal au marché
1,0	1,5	15	spéculatif (ou audacieux)
1,0	-1,3	- 13	masochiste (**)

(*) Le bêta de l'indice boursier est toujours égal à 1.

(**) Dans cet exemple, le bêta est négatif : lorsque l'indice est à la hausse, le prix du titre baisse. À l'opposé, si l'indice baisse, le titre monte. Habituellement, cette situation anormale est de courte durée.

Le gain du titre spéculatif à 15 % semble modeste en soi. Mais rappelez-vous toujours que 15 % est 50 % de plus que 10 %. Cette relativisation du risque d'un titre par rapport à celui de l'indice est un concept utile pour situer vos investissements par rapport au marché en général. Toutefois, il ne faut pas oublier que la relativisation ne donne pas une idée du degré de risque en soi : c'est plutôt le risque du titre qui indique le risque réel couru par l'investisseur. Par exemple, à cause d'une volatilité élevée, un portefeuille moins risqué que le marché peut être plus risqué que ce que l'on se permettait normalement.

Plusieurs titres cotés à la Bourse de Vancouver et de l'Alberta ont la réputation d'être risqués (donc à haute volatilité). Les indices de la Bourse de Vancouver et de la Bourse de l'Alberta représentent ces titres. Si l'indice boursier a une volatilité de 40 % et qu'un titre en particulier montre cette même volatilité, on sait maintenant qu'il a un bêta égal à 1. Cette information confirme que le titre n'est pas plus risqué que l'indice, malgré le fait qu'une volatilité de 40 % nous indique généralement un degré de risqué plutôt élevé.

Un investisseur doit donc décider s'il veut un titre dont le bêta (ou volatilité relative) ne dépasse pas une certaine valeur, ou encore s'il veut un titre dont la volatilité (ou volatilité absolue) ne dépasse pas une certaine valeur, peu importe à combien s'élève son bêta.

À cet effet, laissez-moi vous donner un bon conseil : utilisez le **critère de la volatilité absolue**, et non celui de la **volatilité relative représentée par le bêta** au moment où vous choisissez les titres en fonction du risque qu'ils représentent.

Le mariage du bêta et du rendement du marché : la ligne du marché boursier

Lorsqu'on marie l'indice bêta avec le rendement du marché, on obtient le rendement anticipé d'un titre. Il s'agit du rendement auquel on doit s'attendre pour une volatilité donnée du marché et du titre en question. Voici la formule qui permet d'obtenir le rendement anticipé :

$$RA = R_{sr} + (R_i - R_{sr})B$$

RA = rendement anticipé du titre

R_{sr} = rendement actuel d'un investissement sans risque

R_i = rendement actuel de l'indice boursier

B = bêta du titre

Par exemple, si le rendement actuel des bons du Trésor est de 3 % et celui du marché boursier de 15 %, on obtient les rendements suivants en appliquant la formule du rendement anticipé :

BCZ : RABCZ = 0,03 + (0,15 − 0,03) x 1,11 = 16,32 %

SMK : RASMK = 0,03 + (0,15 − 0,03) x 5,61 = 70,32 %

ACCA : RAACCA = 0,03 + (0,15 − 0,03) x 0,47 = 8,64 %

Le tableau 1.17 réunit les bêtas et les rendements anticipés (RA) des trois entreprises fictives que nous avons utilisées précédemment. À partir de ce tableau et du graphique 1.3, on peut maintenant tracer une ligne où les deux axes représentent respectivement les bêtas et les rendements anticipés. Cette droite s'appelle la **ligne du marché boursier**.

Tableau 1.17

Le bêta et le rendement anticipé de BCZ, SMK et ACCA

Titre	Bêta	Rendement anticipé (%)
BCZ	1,11	16,32
SMK	5,61	70,32
ACCA	0,47	8,64

La ligne indiquée par les points 1, 2 et 3 est tracée à partir des rendements anticipés des titres BCZ, SMK et ACCA. Cette ligne marque la frontière entre les titres qui représentent un investissement avantageux et ceux qui ne le sont pas.

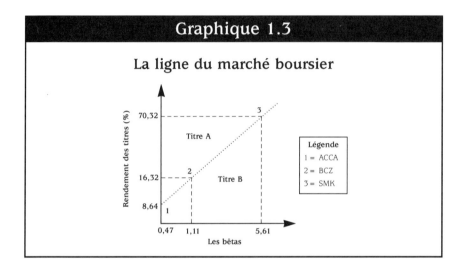

Les titres dont le rendement et le bêta se réunissent en un point sur la ligne ont un rendement proportionnellement équivalent par rapport au risque qu'ils représentent.

Les titres dont le rendement se situe à un niveau supérieur à la ligne (titre A) représentent des investissements avantageux. La ligne nous indique que, par rapport au risque, leur rendement est proportionnellement plus élevé. Le titre A constitue donc un excellent achat potentiel.

Les titres dont le rendement se situe à un niveau inférieur à la ligne (titre B) sont à éviter. Ils représentent un risque trop élevé par rapport au rendement qu'ils peuvent afficher. Par conséquent, le titre B est à proscrire de votre portefeuille.

1.4.7 L'évaluation du « juste prix » d'un titre

Le rendement anticipé (RA) permet également de déterminer le «juste prix» des titres que vous désirez acquérir. Imaginons que la société bancaire BCZ distribue chaque année un dividende de l'ordre de 2 $ par action et qu'il n'y a aucune croissance du dividende au fil des ans. Sachant que le rendement anticipé de BCZ est de 16,32 %, son prix devrait être le suivant :

$$12,25\ \$ = \frac{\text{Dividende}}{\text{RA}} = \frac{2,00\ \$}{0,1632}$$

Ainsi, si le prix du titre est supérieur à 12,25 $, cela signifie qu'il est trop cher. À l'inverse, s'il est inférieur à 12,25 $, son prix est alors avantageux et le titre offre un certain potentiel de plus-value. L'exemple donné convient à un titre dont les dividendes sont constants.

D'autres formules s'appliquent dans le cas où l'on s'attend à une croissance des dividendes, à des dividendes différents d'une année à l'autre, ou encore à aucun dividende. Des suggestions de lecture sont données aux pages suivantes pour l'investisseur qui désire approfondir ce sujet.

1.4.8 Profession : analyste boursier

Vous, analyste boursier? Avouez que vous n'auriez jamais cru cela possible! Maintenant que vous avez ce titre, vous faites quoi? Je vous le donne en mille : **vous scrutez le passé**! Évidemment, le passé n'est jamais garant de l'avenir, mais l'analyse du passé demeure encore le meilleur moyen d'examiner un titre et la conjoncture économique. Vous devez savoir quelle a été la performance de ce dernier dans les marchés à la hausse et à la baisse. Le but de cette analyse est de déterminer si ce titre s'harmonise avec vos objectifs de placement et de risque.

Vous devez suivre la performance des marchés et des titres que vous avez choisis, mais vous devez observer aussi la performance des autres titres qui se classent parmi les premiers sur le plan des rendements. Les titres que vous avez écartés peuvent alors devenir intéressants et, inversement, les titres que vous avez choisis peuvent vous décevoir. Il faut toujours être prêt à les remplacer.

Le travail qui permet de découvrir la prochaine tendance du marché boursier en général ou celle d'un titre en particulier s'appelle l'**analyse des tendances**.

Il y a deux types d'analyse des tendances :

• L'analyse fondamentale

• L'analyse technique

À l'aide de l'analyse fondamentale, on tente de découvrir la tendance des prix à venir en tenant compte d'une multitude de facteurs. Par exemple, dans le cas d'une compagnie publique, on examinera attentivement :

• les états financiers de l'entreprise ;

• les ratios caractéristiques du secteur auquel appartient l'entreprise ;

• l'évolution du marché ;

• la situation politique nationale et internationale ;

• les facteurs saisonniers et climatiques (dans le cas des récoltes).

C'est ainsi que l'investisseur discipliné (et qui veut réussir grâce à cette méthode) découpe les articles qu'il juge importants, se procure les rapports annuels des sociétés qui émettent les titres qui l'intéressent et la circulaire qui accompagne l'avis de convocation à l'assemblée annuelle. De plus, il porte attention aux déclarations des membres du conseil d'administration des entreprises dans lesquelles il investit et analyse l'opinion des spécialistes.

Selon les tenants de l'analyse technique, les efforts de celui qui se prête à l'analyse fondamentale restent souvent vains pour trois raisons bien précises :

1. La complexité de l'analyse à faire. C'est vrai que l'investisseur a beaucoup de variables à analyser et à pondérer.

2. La nouvelle est déjà escomptée dans le marché boursier quand celle-ci arrive à la connaissance de l'investisseur. En effet, le marché boursier est un marché précurseur. Certaines personnes vont même jusqu'à prétendre qu'il anticipe l'état de notre économie jusqu'à six mois à l'avance.

3. L'interprétation que l'investisseur peut faire de la nouvelle peut se révéler différente de celle que vont en faire la majorité des investisseurs.

Les lecteurs qui désirent en savoir davantage sur l'analyse fondamentale devraient lire *Valeurs mobilières et gestion de portefeuille*, de Denis Morrissette, publié aux Éditions SMG en 1993. Si vous lisez l'anglais, je vous propose la quatrième édition du livre de Robert A. Haugen, *Modern Investment Theory*, publié chez Prentice-Hall en 1997. Les éditions antérieures du livre de Haugen comprenaient une disquette qui permettait à l'investisseur de faire de la simulation de portefeuille et d'évaluer les obligations et les options.

Les deux ouvrages sont excellents ; toutefois, ils ont une approche très académique et cela peut rebuter certains néophytes. Ainsi, ils peuvent vous permettre d'approfondir passablement vos connaissances, mais l'avalanche de données mathématiques qu'on y trouve peut donner le mal de cœur à certains lecteurs.

Selon la seconde méthode, l'analyse **technique**, le prix est le point de rencontre et d'équilibre de toutes les raisons qui déterminent l'offre et motivent la demande. En d'autres mots, l'analyse technique est principalement l'**étude de l'évolution des prix**. Les tenants de cette méthode utilisent des graphiques, des moyennes mobiles, des lignes de tendance et diverses méthodes de calcul pour faire avancer leur analyse.

On peut relever trois tendances chez le partisan de l'analyse technique :

1. Il fait une projection à partir du comportement passé et actuel des prix.

2. Il recherche et suit les mouvements cycliques du marché. Son hypothèse de départ est qu'il y a dans les prix un comportement prédéterminé. Ainsi, une fois qu'il a trouvé la clé de lecture, il peut prévoir le comportement du prix.

3. Il suit la tendance actuelle pour déceler le moment où une variable des prix indiquera un point tournant.

Les lecteurs qui désirent en savoir davantage sur l'analyse technique et la mettre en pratique peuvent lire un autre ouvrage que j'ai publié, *L'analyse technique* (1991, SEFI). Je suggère aussi celui de John J. Murphy, *Technical Analysis of the Futures Market*, publié par le New York Institute of Finance en 1986. Ces ouvrages sont de nature encyclopédique en ce qu'ils présentent l'éventail des instruments d'analyse. L'ouvrage de Murphy est mondialement reconnu. Le seul hic est que le livre commence à vieillir et n'englobe pas les instruments les plus récents et importants (l'enveloppe de Bollinger, par exemple).

Chapitre 2

CHOISIR LE TYPE DE PORTEFEUILLE QUI CORRESPOND À SES BESOINS ET À SES OBJECTIFS

Pour gérer vos avoirs, vous pouvez suivre l'une de ces trois grandes lignes directrices :

1. Vous pouvez acheter des parts de fonds communs de placement (FCP)[1] ;

2. Vous pouvez choisir d'investir vous-même dans les valeurs mobilières ;

3. Vous pouvez recourir aux services d'un conseiller en placements.

Vous privilégiez les fonds communs de placement (aussi appelés fonds mutuels ou fonds d'investissement) ? Vous devez donc choisir parmi les quelque 1 700 FCP offerts aux investisseurs canadiens.

En achetant des parts de FCP, vous confiez votre argent à des gestionnaires professionnels. La différence qui existe entre le fait d'acheter des parts de fonds communs de placement et celui d'investir dans les titres

---

1 Ce livre se consacre uniquement aux approches n° 2 et n° 3. Vous trouverez tout ce qu'il vous faut sur les FCP dans *S'enrichir grâce aux fonds communs de placement*, publié chez le même éditeur.

de sociétés cotées en Bourse se résume à ceci : vous devez apprendre à évaluer la performance des fonds plutôt que celle des titres. Simple comme bonjour, vous verrez.

Par ailleurs, apprendre à investir de façon autonome comporte deux avantages certains : non seulement c'est une activité **passionnante**, mais elle est surtout **rentable**. Entre vous et moi, il n'est pas aussi compliqué qu'on le pense de déterminer quand acheter et quand vendre ses titres, d'évaluer le degré de risque de ses investissements, d'établir la corrélation des titres entre eux et de gérer son portefeuille en fonction du bêta du marché. La lecture de ce livre vous mettra assurément sur la bonne piste !

Finalement, le recours aux services d'un conseiller en placements se révèle utile, puisque le conseiller est non seulement un expert en matière d'investissements, mais il est également un spécialiste dans le domaine de la planification financière. Il peut donc vous aider à trouver les placements les plus appropriés à vos objectifs financiers.

2.1 QUEL GENRE D'INVESTISSEUR ÊTES-VOUS ?

Vous avez beau être intéressé par les valeurs mobilières, il y a une étape cruciale à franchir avant de vous lancer à la recherche du meilleur courtier en ville : il faut apprendre à vous connaître **vous-même**, en vous posant certaines questions sur votre tempérament d'investisseur. Au fait, qu'est-ce qui vous intéresse ?

- La croissance à long terme ?
- Un revenu constant ?
- Un allègement fiscal ?
- Un bénéfice rapide ?
- Toutes ces réponses ?

La question fondamentale à laquelle vous devez répondre est la suivante : **si vous prenez des risques, comment dormirez-vous la nuit** ? Gardez toujours en tête que rendement élevé et risque important sont intimement liés. Cela dit, vos réponses à d'autres questions permettent également de dresser votre profil d'investisseur :

- Quels sont vos besoins réels en matière d'assurance-vie ? S'ils sont élevés, vous n'êtes peut-être pas dans une situation pour prendre des risques. Songez-y à deux fois.

- Possédez-vous beaucoup de placements couverts par l'assurance-dépôts ? Si oui, est-ce par peur, tout simplement, ou par manque de connaissance du domaine du placement ? Sachez que les deux situations ont leur solution...

- Avez-vous pensé à mettre de côté l'équivalent de trois à six mois de salaire pour pallier les urgences ? Non ? Eh bien, avant de vous ruer sur les actions, peut-être devriez-vous constituer ce coussin nécessaire !

Avant de plonger à pieds joints dans les valeurs mobilières et de vous mettre à la recherche du conseiller idéal, assurez-vous de bien de procéder à une analyse sérieuse de votre situation financière.

2.1.1 Le choix du type de courtier

Vos connaissances sont plutôt limitées ? Vous recherchez un conseiller qui vous aidera à dresser votre profil d'investisseur, à déterminer votre degré de tolérance au risque, à appliquer les stratégies qui vous permettront d'atteindre les objectifs que vous vous êtes fixés ? Ce qu'on appelle le **service complet** est ce dont vous avez besoin au départ. Lorsque vous demandez le service complet, votre courtier vous tient en quelque sorte par la main dans votre cheminement boursier.

Toutefois, vous le verrez, vous accumulerez vite un bagage d'expérience et peut-être serez-vous bientôt en mesure de prendre vous-même la plupart de vos décisions de placement. Quand vous en serez rendu là, je vous recommande de laisser tomber le service complet et d'ouvrir un compte chez un courtier **exécutant**. L'avantage ? Les frais de courtage y sont beaucoup moins élevés. D'ailleurs, sachez que de plus en plus de courtiers exécutants offrent un éventail de produits commercialisés par les firmes de service complet.

2.1.2 Le match parfait

Maintenant que vous avez fait votre choix du type de courtier avec lequel vous souhaitez travailler, peut-être vous demandez-vous comment procéder pour trouver le courtier idéal. Le secret, c'est de réunir le maximum d'information sur cette personne avant d'aller la rencontrer une première fois. Je vous donne quelques petits trucs :

- *Évitez que la première rencontre ait lieu à votre domicile.* Rendez-lui plutôt visite **sur son terrain**. Vous en apprendrez ainsi beaucoup plus sur cette personne et sur la firme qui l'emploie. La réceptionniste vous reçoit-elle comme un chien dans un jeu de quilles ? Le personnel a-t-il l'air bête ou vous donne-t-il l'impression que vous n'êtes pas assez *big shot* ? Le bureau du courtier choisi a-t-il l'air d'un champ de bataille ? Gardez l'œil ouvert.

- *N'arrivez pas dans une maison de courtage comme un cheveu sur la soupe.* Si vous ne prenez pas de rendez-vous avec un courtier en particulier, il est possible qu'on vous dirige vers un représentant engagé récemment ou encore une recrue. Attention, je ne vous dis pas de fuir les novices ; en effet, leur grande volonté peut compenser leur manque d'expérience. Toutefois, si vous avez l'intention d'être très actif sur le marché, peut-être avez-vous besoin d'un vétéran. Tout est fonction de vos besoins.

- *N'hésitez pas à rencontrer la personne qui assume la direction de la maison de courtage.* Peut-être celle-ci sera-t-elle en mesure de vous coupler avec le représentant idéal. Puisqu'elle connaît la philosophie de ses conseillers, leurs points forts et leurs points faibles, elle pourra probablement, après avoir défini votre profil d'investisseur, créer le match parfait !

2.1.3 L'ouverture du compte

Vous avez trouvé le conseiller idéal ? Voici maintenant venu le temps d'ouvrir un compte. Votre conseiller vous demandera à ce moment une foule de détails : vos coordonnées, votre valeur nette, votre revenu annuel, le nom de votre employeur, votre degré de tolérance à l'égard du risque, vos objectifs en matière de placement, etc.

Vous le trouvez trop curieux ? Ne vous inquiétez pas : votre courtier est un peu comme votre médecin. Il doit en connaître le plus possible sur vous afin de vous prescrire les meilleures stratégies de placement en fonction de votre profil. Au fait, soyez tranquille : la Loi sur les valeurs mobilières l'oblige à faire preuve de professionnalisme et de discernement lorsqu'il ouvre un compte. Les renseignements que vous lui fournissez sont d'ailleurs tenus sous le sceau de la confidentialité.

2.2 LES MÉTHODES D'INVESTISSEMENT

En gérant vous-même vos avoirs ou en les confiant à un conseiller en placements, vous achèterez et vendrez des titres en fonction de vos objectifs de rendement et de votre degré de tolérance à l'égard du risque. Vous utiliserez alors l'une ou l'autre de ces deux méthodes : la méthode **active** et la méthode **passive**.

2.2.1 La méthode active

Lorsque vous optez pour la méthode active, vous investissez majoritairement dans des titres jugés sous-évalués et vous vous débarrassez des titres surévalués, c'est-à-dire ceux dont le ratio cours-bénéfice est trop élevé et dont la volatilité est trop élevée par rapport au rendement attendu. Cette méthode exige un bon travail de recherche, donc du temps ; en effet, vous devez trouver les titres les plus intéressants et effectuer un suivi constant de vos investissements. Mais cette

méthode comporte un avantage non négligeable : vous avez la possibilité de réaliser **une performance supérieure à l'indice de référence**. Un dénouement heureux, ni plus ni moins !

Si vous optez pour la méthode active, vous devez savoir qu'il existe
essentiellement trois styles de gestionnaires d'actions :

• *Certains gestionnaires misent sur la **valeur***. Ils recherchent des titres
dont le marché ne reconnaît pas la pleine valeur. La recherche
d'aubaines de ce genre me fait penser à un poussin que délaisse sa
maman et qui finit par devenir un magnifique cygne une fois grand.

La théorie de base de cette approche est que certains titres au potentiel de croissance important sont **négligés injustement**, peut-être à
cause de performances récentes inférieures aux prévisions. Il s'agit
habituellement de titres de sociétés à moyenne et grande capitalisation qui ont en ce moment un ratio cours-bénéfice inférieur à celui
de l'indice XXM de la Bourse de Montréal et, éventuellement, un
rendement en dividendes comparativement élevé.

En dépit de ces données alléchantes en soi, ces titres accumulent
du retard dans la tendance générale à la hausse. Ces données appa-
raissent périodiquement dans l'hebdomadaire *Les Affaires* ainsi
que dans Internet (voir en annexe la liste de sites d'intérêt).

• *D'autres gestionnaires misent sur la **croissance***. Ils veulent dénicher
les entreprises qui ont un taux de croissance supérieur à la moyenne. Il existe une méthode facilement applicable pour repérer les
titres de croissance. Vous n'avez qu'a appliquer l'équation suivante :
[Croissance du titre dans les 12 derniers mois] - [Croissance du titre
dans les 3 derniers mois] - [3 fois la croissance du titre durant le
dernier mois].

Évidemment, d'autres critères peuvent nous permettre de valider la
réponse obtenue. Par exemple, le titre déniché a-t-il, en plus, le ratio

cours-bénéfice le plus faible ? le rendement en dividendes le plus élevé ? Oui ? Alors, il n'y a pas de doute : voilà un titre en croissance.

• *Il y a des gestionnaires qui pratiquent la* **rotation des secteurs**. Ils choisissent alors le bon secteur en fonction des cycles économiques, ou encore si le secteur est sous-évalué.

La rotation des secteurs peut se vérifier à l'aide de l'équation suivante :

[Rendement d'un secteur dans les 12 derniers mois] - [2 fois le rendement du même secteur depuis le début de l'année] - [3 fois le rendement du même secteur depuis 3 mois].

Les trois secteurs affichant les résultats les plus élevés sont les secteurs qui, en règle générale, ont dans l'immédiat le potentiel de croissance le plus intéressant.

2.2.2 La méthode passive

Lorsque vous optez pour la méthode passive, vous investissez dans les titres qui composent un indice de référence et vous les conservez. C'est aussi simple que ça. La performance est alors égale à celle de l'indice. L'avantage de cette méthode est qu'elle n'exige aucun effort, d'où son nom.

On favorise la gestion passive lorsqu'on n'a pas d'assez d'argent pour acheter tous les titres qui composent un indice, lorsqu'on manque de temps, ou encore lorsqu'on est persuadé qu'il est difficile de battre l'indice. Sachez toutefois que vous pouvez « acheter le marché » en vous procurant les indices eux-mêmes, que ce soit le TSE 35 (l'équivalent canadien des 30 sociétés industrielles qui composent le Dow Jones), le TSE 100 de la Bourse de Toronto ou le S & P 500 de la Bourse américaine. Vous avez bien compris : on peut acheter l'indice de référence lui-même de la même façon que l'on achète des actions ! Les actions des trois indices sont vendues sous les inscriptions suivantes : «TIPS» pour le TSE 35, «HIP» pour le TSE 100 et «SPY» pour le S & P 500.

La méthode active est plus coûteuse **en temps et en argent**. En effet, vous devez gérer votre portefeuille, mais également payer les commissions qui découlent de vos ordres d'achat et de vente. L'avantage, c'est que, en principe, cette méthode devrait non seulement vous offrir un rendement plus élevé, mais elle est aussi assurément plus excitante. Vous savez, je ne suis pas un grand fervent de la gestion passive, qui peut, à mon avis, se révéler un peu soporifique... Cela dit, les deux méthodes sont valables et les gestionnaires professionnels les utilisent. À vous de choisir !

2.3 LES 3 ÉTAPES À SUIVRE POUR INVESTIR DANS LES VALEURS MOBILIÈRES

Voici les étapes qu'il faut absolument franchir lorsqu'on investit dans les valeurs mobilières.

1. On détermine d'abord ses objectifs de placement et le degré de risque avec lequel on est capable de vivre.

2. On apprend à choisir les titres et les catégories de titres (titres à revenu, titres de croissance, titres spéculatifs) qui sont les plus appropriés à nos objectifs de placement.

3. On investit dans une perspective de long terme afin de profiter de la tendance à la hausse des marchés.

Une fois que vous avez bien compris ces trois règles d'or, la révision périodique de vos investissements ne devrait pas vous demander plus d'une heure par mois. Évidemment, une fois par semaine, vous devrez vérifier la performance de vos titres à l'aide de publications financières comme *Les Affaires*.

2.3.1 Déterminer ses objectifs de placement

Votre premier objectif de placement est probablement la maximisation de vos profits. Normal : c'est le but que poursuivent bon nombre d'investisseurs. Toutefois, rappelez-vous que, en règle générale, gain et risque sont étroitement liés : plus on veut un rendement élevé, plus il faut prendre des risques. Il est donc primordial que vous connaissiez votre degré de tolérance au risque pour ensuite établir l'importance du profit auquel vous pouvez aspirer.

Vous savez, les investisseurs que je croise dans l'exercice de mes fonctions recherchent à peu près la même chose : la sécurité du capital, la protection contre l'inflation, la plus-value future, le revenu courant et la liquidité. Partant de là, je suis en mesure de procéder à une catégorisation des différents objectifs possibles. Par exemple, si vous êtes un jeune investisseur, il y a de fortes chances que vous soyez en train d'épargner pour acheter votre première maison. Vous recherchez donc les types de placements qui peuvent vous offrir sécurité du capital et liquidité. En conséquence, vous optez pour les obligations d'épargne, les bons du Trésor et les titres du marché monétaire.

Par contre, si vous êtes plus âgé, que le paiement de votre hypothèque fait partie de votre routine mensuelle et que vous avez accumulé certaines épargnes, vous investissez probablement une partie de vos avoirs dans la planification de votre retraite. Votre principale préoccupation est donc le rendement futur ; vous êtes à la recherche de plus-value. Les titres de croissance répondront parfaitement à cet objectif.

Si vous êtes à la retraite, je parie que le revenu courant et la sécurité du capital constituent vos principaux objectifs en matière de placement (je ne risque pas grand-chose... c'est l'objectif que se sont fixées — avec raison — la plupart des personnes retraitées).

Le gagnant, le perdant

La réussite dans le monde du placement est souvent une question d'attitude par rapport au marché. Ainsi, l'investisseur gagnant est celui qui se comporte à peu près de la façon suivante :

- Il a des objectifs et des critères de sélection précis lorsqu'il négocie.
- Il sait apprendre de ses erreurs et cherche constamment à s'améliorer.
- Il gère bien ses finances personnelles.
- Il investit pour faire fructifier son argent.
- Il prend des risques calculés.
- Il a confiance en lui et en ses aptitudes à investir.
- Il mène une vie saine... il est heureux, quoi !

Le perdant, lui :

- croit que sa mauvaise chance va bientôt tourner ;
- est désorganisé et impulsif ;
- investit pour l'émotion qu'il en retire ;
- blâme les autres lorsqu'il fait de mauvais coups ;
- a l'impression que sa vie personnelle perturbe ses investissements ;
- n'a pas une grande estime de soi ;
- a peur du changement.

2.3.2 Une meilleure performance grâce à la diversification

Le principe de «ne pas mettre tous ses œufs dans le même panier» s'applique dans bien des domaines. Dans le domaine de la gestion de portefeuille, il constitue une règle incontournable. Vous aurez deviné que le **choix d'un titre** n'est pas la seule activité d'un investisseur averti ; il doit aussi considérer un autre aspect, celui de la **diversification** des titres mais également des catégories d'actif, titres de dette et titres de propriété (revoir le chapitre 1 au besoin). Ces dernières années, on a accordé beaucoup d'importance à ce dernier aspect, surtout depuis que certaines études américaines ont révélé que plus de 90 % du rendement d'un portefeuille est le fruit d'une bonne répartition de l'actif.

Le but de la diversification n'est pas seulement d'améliorer le rendement d'un portefeuille. En effet, si l'investisseur croit qu'un titre doublera de valeur tous les trois mois, pourquoi n'y place-t-il pas tout son argent? Tant qu'à faire, pense-t-il, pourquoi ne pas greffer une seconde hypothèque à la maison? La réponse est pourtant simple : on n'est jamais sûr de rien. C'est pourquoi investir tous ses avoirs dans un seul titre peut se révéler très dangereux!

Pour minimiser les mauvaises surprises et les sempiternels soubresauts des marchés financiers, il est essentiel que vous investissiez vos avoirs **dans plusieurs titres**. Si la performance d'un titre se révèle inférieure à vos prévisions, l'effet négatif sera limité étant donné l'ensemble de votre portefeuille (à moins qu'il ne compte *que* pour 50 % de celui-ci!). De façon indirecte, la diversification contribue à l'amélioration de votre rendement parce qu'elle réduit les effets négatifs de vos mauvais coups étant donné le rendement global de votre portefeuille. Et vous savez, des mauvais coups, tous les investisseurs en font!

2.3.3 Le nombre idéal de titres

Combien de titres faut-il pour obtenir une diversification sérieuse? Bon nombre de spécialistes parlent d'une dizaine à une vingtaine de titres. Mais là encore, il n'existe pas de recette miracle. À preuve, Warren Buffett, un investisseur dont la renommée n'est plus à faire, gère un portefeuille de plusieurs milliards dont la majeure partie est constituée de moins de 10 titres! Sa stratégie : il ne retient que les titres de première qualité. Pour lui, l'entreprise doit d'abord représenter une bonne valeur ; ensuite, il examine son prix. En fait, le prix peut être élevé dans la mesure où sa valeur l'est également. Si les titres de l'entreprise représentent un excellent rapport qualité-prix, il est possible qu'il en achète. Remarquez, cela ne veut pas dire que ceux-ci doivent être bon marché. En d'autres mots, Warren Buffett utilise une stratégie universelle : **la stratégie du gros bon sens**. N'hésitez pas à l'appliquer, elle est souvent payante !

2.3.4 Comment mesurer sa performance

Il est naturel que, à un moment donné, vous vous demandiez si vous êtes un bon gestionnaire de portefeuille. La réponse tient à deux variables :

- le profit que vous avez réussi à générer sur une période donnée ;

- le risque avec lequel vous avez dû vivre pour générer ce profit.

Le ratio de Sharpe, du nom de son créateur, William Sharpe, donne la mesure de cette performance. Voici la formule qui permet de calculer celui-ci :

$$P = \frac{R - T}{V}$$

P = performance

R = rendement sur une période donnée

T = rendement d'un investissement sans risque, comme les bons du Trésor

V = volatilité — ou risque — du rendement

Ainsi, plus la performance est élevée et stable, mois après mois, ou année après année, plus l'investisseur est considéré comme «professionnel». Une performance qui varie beaucoup d'une période à une autre suscite une volatilité des gains élevée qui s'avère dangereuse : **il y a risque de perte du capital quand la turbulence des gains est élevée**.

2.4 UN PORTEFEUILLE EN FONCTION DE SES OBJECTIFS

On ne le répétera jamais assez : la première étape de tout bon programme d'investissement consiste à sélectionner les portefeuilles d'investissement qui vous permettront d'atteindre vos objectifs de placement. Ensuite, vous devez sélectionner parmi des centaines de titres (actions et obligations), voire des milliers, ceux qui composeront votre portefeuille.

Comme lorsque vous partez en voyage, vous connaissez votre destination et vous utilisez les moyens qui s'imposent pour y parvenir. Vous n'emprunterez pas nécessairement le chemin le plus simple et le plus sécuritaire si votre objectif est de parvenir à destination plus rapidement que la moyenne des gens. Il est également possible que vous preniez des risques que bon nombre d'entre eux ne seront pas prêts à courir. Une chose importe, toutefois : il faut vous assurer d'avoir un **bon véhicule**.

2.4.1 Faites votre choix

On classifie les portefeuilles de différentes façons. La principale, qui est aussi la plus simple et la plus utile, est basée sur vos objectifs de placement et le degré de risque avec lequel vous êtes capable de vivre. Cette classification vous permet de choisir le genre de portefeuille qui correspond le mieux à vos attentes et à votre tempérament d'investisseur.

Comme nous l'avons vu, en règle générale, le jeune investisseur recherche la plus-value, tandis que l'investisseur plus âgé favorise la sécurité du capital et la certitude d'obtenir un revenu. Certains portefeuilles visent ces deux objectifs. Pour vous aider à les reconnaître, j'ai préparé le tableau 2.1. D'une part, vous avez des portefeuilles dont la politique d'investissement est prudente et basée sur la conservation du capital et sur la réalisation d'un revenu. D'autre part, vous trouverez des portefeuilles spéculatifs dont l'unique but est de réaliser rapidement un gain en capital élevé. Entre ces deux extrêmes, vous trouvez un éventail de portefeuilles qui peuvent satisfaire tous vos besoins et tous vos goûts.

Tableau 2.1

Le classement des portefeuilles selon les objectifs de placement

N°	Type de portefeuille	Objectif de placement de l'investisseur	Type d'investissement	Risque lié au portefeuille
1	Croissance élevée (portefeuille spéculatif)	Plus-value à court terme du capital investi (revenu en dividende minime)	Investissement dans les actions ordinaires de sociétés à faible capitalisation (*small caps*)	Très élevé
2	Croissance	Plus-value élevée à plus long terme que dans la catégorie précédente (revenu en dividendes modeste)	Investissement dans les actions ordinaires de qualité avec un bon potentiel de croissance	Élevé
3	Conservateur (en actions)	Plus-value avec accent mis sur le revenu en dividendes	Investissement dans les actions privilégiées et les actions ordinaires de premier ordre (*blue chips*)	Moyen
4	Équilibré ou mixte	Plus-value et revenu élevé	Investissement dans les actions ordinaires et privilégiées de premier ordre, les obligations de court et de moyen terme	Modéré-moyen
5	À revenu fixe	Revenu	Investissement dans les obligations du gouvernement, les sociétés de premier ordre, les actions privilégiées, les débentures et les hypothèques	Modéré
6	Marché monétaire	Liquidité et préservation du capital	Investissement dans les obligations du gouvernement à court terme, les bons du Trésor et les titres d'emprunt de sociétés de premier ordre	Faible

Le classement des portefeuilles du tableau 2.1 est simple et non exhaustif. Les portefeuilles de type 1, 2 et 3 peuvent se diviser en sous-catégories. Par exemple, vous pouvez limiter vos investissements aux titres canadiens ou américains, ou encore aux titres de sociétés asiatiques ou européennes. Vous pouvez également créer un « panier de titres » issus de différents marchés internationaux. En théorie, le nombre de variantes possibles dans les sous-catégories est illimité.

Vous pouvez aussi songer à des portefeuilles spécialisés dans les métaux précieux (or, argent, platine, palladium) ou dans les sociétés minières qui produisent ces métaux précieux. Mais attention, dans ce cas, le degré de risque n'est pas exactement le même ! L'achat d'un certificat d'or vous expose au risque de fluctuation du prix de l'or, alors que l'achat d'actions d'une société aurifère vous expose non seulement au risque des fluctuations du métal jaune, mais aussi à la capacité de la direction de la société d'augmenter sa production, de trouver de nouveaux gisements et de gérer son expansion. **Il y a donc plus de risques à investir dans un titre de société minière qu'à investir dans le métal lui-même.** Gardez ça en tête !

D'autres types de portefeuilles peuvent être concentrés dans les actions de sociétés qui se préoccupent de l'environnement ou qui respectent des principes religieux. Par exemple, il existe des portefeuilles pour les investisseurs de religion musulmane dans lesquels on exclut le rendement sous forme d'intérêts.

Un classement plus détaillé de portefeuilles est présenté au tableau 2.2. On y reconnaît les mêmes catégories qu'au tableau 2.1, mais des indices de référence, comme le S & P 500 et le TSE 300, y ont été intégrés. Dans ce tableau, j'ai établi des catégories de portefeuilles non seulement en fonction du facteur de risque des portefeuilles, mais aussi par rapport à un objectif de rendement donné (représenté par l'indice de référence — dernière colonne du tableau). Par exemple, un investisseur qui s'intéresse au portefeuille de type 9 sait qu'il peut comparer la performance de son portefeuille avec celle de l'indice TSE 300. Il aura alors une idée de son habileté à engendrer des profits. S'il choisit le portefeuille de type 11, il évaluera sa performance en la comparant à l'indice SMU (Scotia McLeod Universe Bond Index).

> Sachez qu'un indice de référence peut être :
>
> • un indice global (par exemple : le Dow Jones des Industriels, le XXM de la Bourse de Montréal, le CAC40 de la Bourse de Paris) ;
>
> • un indice sectoriel ou de catégorie (par exemple : les aurifères, les transports, les communications).

Le XXM de la Bourse de Montréal donne lieu à six sous-indices sectoriels : les secteurs bancaire, industriel, minier, forestier, le gaz et le pétrole et les services publics. Pour sa part, le TSE 300 est réparti dans 14 secteurs et des douzaines de sous-secteurs. Le lecteur en trouvera la liste dans le journal *Les Affaires* et dans les principaux quotidiens.

Dans le tableau 2.2, on compare la performance d'un portefeuille homogène — c'est-à-dire un portefeuille composé de titres ayant des similitudes — avec celle d'un indice. Si votre portefeuille obtient un rendement de 10 % et que l'indice de référence pour la même période offre un rendement de 6 %, il est clair que vous avez fait d'excellents choix.

Si votre indice de référence est sectoriel ou de catégorie, cela n'exclut pas la comparaison que vous devez faire entre le rendement de votre portefeuille et celui d'un indice global de référence comme le TSE 300. Alors, avez-vous mieux fait que l'indice du marché ? Vous avez peut-être mieux fait que votre secteur, mais qu'en est-il du marché ? Êtes-vous toujours convaincu d'avoir opté pour le meilleur secteur ?

Dites-vous bien qu'il n'est pas facile de battre les indices. À preuve, en 1997, seulement 29 % des gestionnaires de fonds communs de placement d'actions canadiennes ont réussi à faire mieux que le TSE 300.

En conclusion, vous pouvez comparer la performance de votre propre portefeuille avec celui d'un indice, comme le suggère le tableau 2.2. Si le portefeuille est plutôt concentré dans un secteur en particulier, par exemple celui du gaz naturel ou du pétrole, il est préférable de comparer votre rendement avec celui de ce secteur, puis avec celui de l'indice global du marché.

Tableau 2.2

Le classement détaillé des portefeuilles selon les objectifs de placement et un indice de référence

Nº	Type de portefeuille	Objectif de placement	Type d'investissement	Indice de référence
1	Titres canadiens de petite à moyenne capitalisation	Plus-value élevée et rapide	Investissement dans des entreprises dont la capitalisation est petite (250 millions $ ou moins) ou moyenne (500 millions $ ou moins)	NBSI (Nesbitt Burns Smallcap Index)
2	Titres américains et canadiens	Plus-value	Investissement dans les actions canadiennes et américaines	Standard & Poor's 500 et XXM
3	Titres de l'Extrême-Orient	Plus-value	Investissement dans les actions de compagnies asiatiques et du bassin du Pacifique	MSJI (Morgan Stanley Japan Index) et indice EAFE (Europe, Australia, Far East)
4	Titres européens	Plus-value	Investissement dans les actions négociées par les Bourses européennes	Morgan Stanley Europe
5	Titres de marchés émergents et de l'Amérique latine	Plus-value	Investissement dans les actions de sociétés situées en Amérique latine et dans d'autres pays comme l'Inde, la Turquie, l'Afrique du Sud	Morgan Stanley Emerging Markets
6	Titres des marchés internationaux	Plus-value	Investissement dans les actions de sociétés étrangères jugées intéressantes	Morgan Stanley World
7	Portefeuille équilibré international	Plus-value et rendement	Investissement dans les actions (50 %) et les obligations (50 %) du marché international	Indice composé par les indices suivants : EAFE (25 %) S & P 500 (25 %) Salomon World Bond (50 %)
8	Croissance	Plus-value à long terme	Actions et réinvestissement des dividendes	TSE 300 (Toronto Stock Exchange)

9	Portefeuille de dividendes	Rendement en dividendes	Investissement à rendement élevé dans les actions privilégiées, les actions privilégiées convertibles et les actions ordinaires	TSE 300 (Toronto Stock Exchange)
10	Portefeuille équilibré nord-américain	Plus-value et rendement	Actions canadiennes (45 %) et américaines (10 %), et obligations canadiennes (45 %)	Indice composé du TSE 300 (45 %), de l'indice SMU (Scotia McLeod Universe Bond) (45 %) et de l'indice américain S & P 500 (10 %)
11	Obligations (rendement fixe)	Rendement et préservation du capital	Obligations et débentures	SMU (Scotia McLeod Universe Bond Index)
12	Portefeuille d'obligations internationales	Rendement fixe	Obligations d'émetteurs étrangers et canadiens en devises étrangères	Salomon Brothers World Bond
13	Obligations à court terme et hypothèques	Rendement fixe élevé et préservation du capital	Investissement dans les obligations et les hypothèques industrielles, commerciales et résidentielles dont l'échéance est de cinq ans et moins	SMMI (Indice Scotia Capital)
14	Marché monétaire canadien	Préservation du capital et rendement des bons du Trésor	Investissement dans les bons du Trésor canadiens à 91 jours	Bons du Trésor canadiens à 91 jours
15	Marché monétaire international	Préservation du capital et rendement des bons du Trésor	Investissement dans les bons du Trésor étrangers	Les bons du Trésor canadiens à 91 jours
16	Fonds spécialisé (titres canadiens de secteurs particuliers)	Plus-value	Investissement dans les actions des secteurs du pétrole et du gaz, des mines, de l'immobilier et des entreprises évoluant dans le secteur de la haute technologie	Indice TSE 300 (Toronto Stock Exchange)

Note
La plupart des indices de la dernière colonne se trouvent dans l'hebdomadaire *Les Affaires*. Pour les autres, il faut consulter la revue américaine *Barron's*. Le quotidien canadien *The Globe & Mail* publie les variations de certains de ces indices seulement.

La répartition de l'actif des portefeuilles 7 et 10 du tableau 2.2 est considérée comme une norme par les professionnels de l'industrie. Pour que cette norme soit modifiée, il faudrait que les conditions économiques changent radicalement. Par exemple, que les taux d'intérêt montent en flèche, que les titres boursiers s'écroulent, ou encore que la croissance économique tombe en léthargie. Vous pouvez toujours modifier les proportions allouées à chaque titre dans votre propre portefeuille, mais n'oubliez pas que l'indice de référence ne sera plus approprié pour en évaluer la performance.

Si votre portefeuille est composé de titres appartenant à plusieurs indices comme les portefeuilles 7 et 10 du tableau 2.2, votre indice de référence devient une moyenne des indices individuels pondérés dans les mêmes proportions qu'ils le sont dans votre portefeuille.

Exemple

Si vous voulez investir 30 000 $ dans le portefeuille de type 10, vous achèterez pour :

- 13 500 $ (45 % de 30 000 $) d'actions de sociétés canadiennes faisant partie du TSE 300 ;
- 13 500 $ d'obligations canadiennes faisant partie de l'indice Scotia McLeod Universe Bond ;
- 3000 $ (10 % de 30 000 $ — le taux de change étant favorable à la devise américaine, ce montant est en réalité plus petit, puisqu'il est converti en dollars américains) d'actions de sociétés américaines faisant partie de l'indice Standard & Poor's 500.

Périodiquement, c'est-à-dire tous les six mois, vous devez évaluer la valeur de chacun des titres de votre portefeuille. Si la valeur de votre portefeuille s'apprécie, vous pouvez alors le rééquilibrer en ramenant chacune de ses composantes aux proportions de départ, ou bien laisser tomber l'indice de référence et ainsi préférer la nouvelle pondération.

Mais la répartition des actifs, ce n'est pas uniquement acheter des actions et des obligations. Il faut **gérer vos liquidités** (argent comptant, bons du Trésor). La proportion d'un portefeuille allouée à la partie investie et à la partie liquide varie constamment. En principe, quand le marché est en hausse, la plus grande partie du capital est investie dans des titres. À l'inverse, quand le marché est en baisse, la partie liquide devient plus importante. Celle-ci vous permettra en effet de profiter d'occasions inattendues.

2.4.2 Un portefeuille de volatilité

Au chapitre 1, la volatilité a été définie. Grâce à cet instrument, l'investisseur connaît à l'avance le degré de turbulence des titres qu'il achète et est en mesure de déterminer les limites qu'il s'imposera dans son choix de titres.

Degré de risque	Volatilité (ou écart type)
Élevé	40 % et plus
Moyen	De 20 % à 39 %
Faible	De 0 % à 19 %

Il existe un type de portefeuille pour chaque degré de risque. Par exemple, si l'on peut vivre avec le risque élevé, on peut opter pour les portefeuilles spéculatifs et de croissance (n° 1 et n° 2 du tableau 2.1). Pour le risque moyen, on retiendra plutôt les portefeuilles conservateurs en actions et mixtes (n° 3 et n° 4 du tableau 2.1). Pour le risque faible, les portefeuilles à revenu fixe et du marché monétaire (n° 5 et n° 6 du tableau 2.1) conviennent tout à fait.

Du point de vue de la volatilité, il existe seulement deux types de portefeuilles : les portefeuilles à volatilité **homogène** et les portefeuilles à volatilité **hétérogène.** Un portefeuille à volatilité homogène est composé de titres qui montrent une volatilité semblable. En d'autres mots, tous les titres qui le composent ont une volatilité faible, moyenne ou élevée.

Prenons l'exemple d'un portefeuille homogène composé de seulement deux titres : notre fameux titre bancaire (BCZ), dont la volatilité est de 14 %, et un autre titre dont la volatilité est de 20 %. Un portefeuille composé en parties égales de ces deux titres aura une volatilité moyenne de 17 % [(14 % + 20 %) ÷ 2]. La différence entre la volatilité du portefeuille et la volatilité de chaque titre n'est que de trois points. La volatilité moyenne traduit vraiment la volatilité du portefeuille.

Pour donner un exemple de portefeuille hétérogène, prenons plutôt l'exemple du titre de la société minière SMK, dont la volatilité est de 71 %, et du titre de BCZ, dont la volatilité est de 14 %. Un portefeuille composé en parties égales de ces deux titres aura une volatilité moyenne de 42,5 % [(14 % + 71 %) ÷ 2]. La différence entre la volatilité moyenne et la volatilité de chaque titre est **grande** ; d'ailleurs, elle ne décrit pas précisément la volatilité réelle du portefeuille.

Si vous voulez un portefeuille moins volatil, il faut pondérer la présence de chaque titre en fonction du degré de risque avec lequel vous êtes prêt à vivre.

Imaginez un portefeuille de 10 000 $ pour lequel nous voulons une volatilité de 20 %. Pour simplifier les choses, supposons que ce même portefeuille soit composé uniquement de deux titres, ceux de BCZ et de SMK. Je vous rappelle que la volatilité du premier titre est de 14 % et celle du second, de 71 %. Si vous voulez que ce portefeuille affiche une volatilité moyenne de 20 %, quel pourcentage de la somme sera réservé à l'achat des actions de BCZ et quel pourcentage ira au titre de SMK ? Deux équations permettent de répondre à cette question :

$$(PBCZ \times VBCZ) + (PSMK \times VSMK) = V_{portefeuille} \quad (a)$$
$$PBCZ + PSMK = 1,00 \quad (b)$$

PBCZ = % du titre BCZ dans le portefeuille
VBCZ = volatilité du titre BCZ
PSMK = % du titre SMK dans le portefeuille
VSMK = volatilité du titre SMK
$V_{portefeuille}$ = volatilité du portefeuille

En utilisant les données que l'on connaît dans les formules a et b, on obtient les résultats suivants :

$$(PBCZ \times 0,14) + (PSMK \times 0,71) = 0,20 \quad (a)$$

$$PBCZ = 1,00 - PSMK \quad (b)$$

En intégrant la seconde équation dans la première, on obtient :

$$PBCZ = 0,89 \text{ ou } 89 \%$$

$$PSMK = 0,11 \text{ ou } 11 \%$$

Ainsi, si vous souhaitez investir 10 000 $ dans les titres de BCZ et de SMK et que vous voulez voir votre portefeuille afficher une volatilité de 20 %, vous devriez acheter 8900 $ d'actions de BCZ (à faible volatilité) et 1100 $ d'actions de SMK (volatilité élevée). Et voilà : la volatilité moyenne de votre portefeuille est modérée.

Toutefois, faites bien attention : **la volatilité moyenne d'un portefeuille est dynamique**. Elle change parce que la volatilité des titres qui constituent le portefeuille varie. Votre portefeuille peut même changer rapidement de catégorie de risque. C'est pourquoi vous avez tout intérêt à connaître la volatilité des titres boursiers qui composent votre portefeuille.

2.4.3 Le bêta d'un portefeuille de titres

Le bêta d'un portefeuille est la moyenne pondérée des bêtas de chaque titre qui le compose. Par exemple, si un portefeuille est composé de deux titres, A et B (à 50 %), dont le premier a un bêta de 1,2 et l'autre de 0,8, le bêta de ce portefeuille est de 1,00. Pour parvenir à ce résultat, on applique la formule suivante :

[(bêta de A x pondération de A) + (bêta de B x pondération de B)] = bêta du portefeuille

(1,2 x 0,50) + (0,8 x 0,50) = 1,00

Si la proportion du titre A dans votre portefeuille est de 65 % et celle de B, de 35 %, le bêta pour le portefeuille sera le suivant :

[(1,2 x 0,65) + (0,8 x 0,35)] = 1,06

= bêta du portefeuille

2.5 À CHACUN SON PORTEFEUILLE

Vous n'avez pas peur du risque ? L'idée de perdre la moindre parcelle de votre capital vous donne des boutons ? Vous êtes un peu du genre « bas de laine » ? Des portefeuilles de valeurs mobilières, il y en a pour tous les types d'investisseur.

2.5.1 Pour les Rambo de l'investissement : les portefeuilles de croissance élevée

Un portefeuille de croissance élevée est tout désigné pour l'amateur de sensations fortes que vous êtes peut-être. Ce type de portefeuille offre un potentiel de gain **nettement supérieur à la moyenne**. Généralement, il est composé d'actions de sociétés jeunes, moins solides, qui évoluent dans les domaines des ressources naturelles (mines, pétrole et gaz), de la haute technologie, des produits pharmaceutiques et de la biotechnologie.

Ces titres sont cotés dans les principales Bourses canadiennes. Un échantillon de titres de croissance élevée est présenté au tableau 2.3. Ces titres n'y sont présentés qu'à titre indicatif. En effet, certains peuvent avoir un rendement supérieur à 50 % une année et s'effondrer complètement l'année suivante.

Tableau 2.3

Un exemple de portefeuille de croissance élevée

Sociétés (actions ordinaires) présentées à titre indicatif

Almaden Resources	Columbia Gold Mines
Rio Amarillo Mng	Profco Resources Ltd.
Novopharm Biotech	Global Cable Sys.
Kap Resources Ltd.	Spokane Resources
Aurizon Mines Ltd.	Santa Catalina Mng
Auspex Gold Ltd.	Williams Creek Expl.
Firstclass Systems	

La principale raison qui incite un investisseur à bâtir un tel portefeuille est la rapidité avec laquelle il lui sera possible de réaliser un gain en capital. Mais avant de céder à l'appât du gain, assurez-vous :

- d'être en mesure de supporter la tension créée par des changements rapides de la valeur de vos titres ;
- d'avoir un revenu suffisamment élevé pour éponger d'éventuelles pertes importantes ;
- de trouver le temps de suivre pas à pas vos titres et le marché en général ;
- d'avoir la discipline nécessaire pour effectuer les changements qui s'imposent lorsque le marché l'exige.

On peut facilement en déduire que ces portefeuilles ne sont pas recommandés aux retraités, aux personnes qui approchent de la retraite et aux investisseurs qui ne ferment pas l'œil de la nuit lorsqu'ils prennent de trop grands risques. En revanche, si vous êtes amateur de sensations fortes, vous pouvez toujours vous gâter un peu en investissant dans ce type de titres. Toutefois, n'y consacrez pas plus de 15 % du capital dont vous disposez.

Vous pouvez bâtir ce genre de portefeuille avec un actif plutôt modeste parce que le prix de ces actions est généralement inférieur à celui des titres de premier choix. C'est dans ce type de portefeuille que l'on trouve le plus d'actions cotées en cents (c'est-à-dire à moins de 1 $ l'action) — les investisseurs qui connaissent le jargon boursier parlent généralement de *penny stock*. Le nombre d'actions émises par ces sociétés est très limité ; c'est d'ailleurs la raison pour laquelle on les appelle «sociétés à petite capitalisation». Cela a pour effet de rendre plus difficile la vente de vos actions. De cette réalité découlent les conséquences suivantes :

- *La création d'un écart important entre l'offre et la demande.* À cause de leur faible capitalisation, ces sociétés ont généralement un petit nombre d'actions en circulation et une liquidité proportionnellement réduite. Cela entraîne un écart particulièrement important entre l'offre et la demande. Le résultat : **un coût plus élevé pour les transactions** (achat et vente).

- *L'accroissement sensible de l'influence de chaque achat et de chaque vente sur le prix des titres.* Le faible nombre d'actions en circulation a un effet négatif sur leur prix d'achat et de vente. L'activité d'achat tend à susciter davantage la hausse du prix et celle de vente tend à en provoquer la baisse plus que la moyenne. En conclusion, votre mobilité est **beaucoup moins grande** à l'intérieur de ce type de portefeuille.

Généralement, le titulaire d'un portefeuille de croissance élevée ne limite pas son choix à cette seule catégorie de titres. Son objectif est d'ajouter un certain potentiel de profit « rapide » à l'ensemble de son portefeuille. Pour ce faire, il utilise également des techniques de gestion assez audacieuses :

- **L'utilisation d'options** (voir à la page 132), par exemple la vente d'options d'achat d'actions (vente initiale) pour encaisser la prime. Cette stratégie grâce à laquelle l'investisseur possède les actions correspondantes aux options s'appelle le *covered call writing*.

- **L'achat sur marge** (voir à la page 141), c'est-à-dire l'achat d'actions en payant avec de l'argent emprunté à la maison de courtage ;

- **La vente à découvert** (voir voir à la page 143), c'est-à-dire la vente d'actions empruntées à la maison de courtage permettant d'encaisser le fruit de la vente et de l'investir ensuite dans l'achat d'autres actions.

Les détenteurs de portefeuille de croissance élevée synchronisent habituellement l'achat et la vente d'actions avec les fluctuations à la hausse ou à la baisse du marché. Ces mouvements sont représentés par le prix des titres ou par un indice boursier. Ils agissent selon les règles suivantes :

- Si la tendance du prix des titres ou de l'indice du marché est à la hausse, ils achètent des titres.

- Si la tendance du prix des titres ou de l'indice du marché est incertain ou à la baisse, ils vendent des titres et placent les fonds dans des instruments du marché monétaire, comme les bons du Trésor.

Les titres des sociétés à croissance élevée ne doivent pas être achetés au moment de leur première émission. Puisqu'ils n'ont pas subi l'épreuve du marché, il est rare que leur prix d'achat se révèle abordable. Idéalement, ces titres doivent être cotés en Bourse depuis au moins un an. On ne le répétera jamais assez : **il ne faut pas investir la majorité de ses avoirs dans ce type de portefeuille**, car le risque de perdre le capital investi est important et réel. Débarrassez-vous rapidement des actions dont le rendement par rapport au risque est insatisfaisant.

Récupérer sa perte, une mission qui se complique au fur et à mesure qu'elle augmente !

N'oubliez pas que, lorsque survient une perte, vous devez par la suite obtenir un rendement sur le capital restant plus important en vue de récupérer le montant de votre investissement initial. Pour calculer le rendement à atteindre, vous pouvez utiliser la formule suivante :

$$\% = \frac{100\$ - C}{C} \times 100$$

%   = rendement nécessaire pour récupérer votre capital initial

100 \$ = le capital initial

C   = le capital restant après une perte égale à (100 \$ - C).

Voici deux exemples d'application de cette formule.

Exemple 1

Vous venez de perdre 15 % du capital investi (100 \$ x 15 % = 15 \$, soit C = 85 \$).
En appliquant la formule, on obtient :

$$17,65\% = \frac{100\$ - 85\$}{85\$} \times 100$$

Selon ce calcul, vous devez obtenir un rendement de près de 18 % sur le capital restant afin de récupérer votre perte de 15 %. Dans un marché à la hausse, il s'agit d'un objectif relativement facile à atteindre en un an ou deux. Toutefois, attention : plus vous perdez, plus l'écart grandit !

Exemple 2

Un scandale éclabousse la direction de l'entreprise dont vous détenez des titres et vous fait perdre 47 % de votre capital (100 \$ x 47 % = 47 \$, soit C = 53 \$). En appliquant la formule, on obtient :

$$88,68\% = \frac{100\$ - 53\$}{53\$} \times 100\$$$

Ainsi, si vous perdez 47 % de votre capital initial, il vous faudra obtenir un rendement d'environ 89 % sur le capital restant pour recouvrer la totalité de votre investissement initial. Une mission plutôt difficile à accomplir à court terme !

Tableau 2.4

Le rendement que l'on doit obtenir sur le capital restant pour récupérer une perte

% de perte sur le capital initial	% de gain nécessaire sur la partie restante du portefeuille afin de récupérer la perte
5	5,3
10	11,1
15	17,6
20	25,0
25	33,3
30	42,9
35	53,8
40	66,7
45	81,8
50	100
55	122
60	150
65	186
70	233
75	300
80	400
85	567
90	900

Étant donné l'effet que provoque l'augmentation d'une perte, l'investisseur doit placer son argent dans un type de portefeuille de croissance élevée uniquement quand le marché est à la hausse. En règle générale, le rendement à long terme de ces portefeuilles dépasse la performance des titres de sociétés de premier ordre (*blue chips*).

Si l'on compare le rendement des dernières années des portefeuilles de croissance élevée avec ceux de portefeuilles de titres de premier choix, on constate que les portefeuilles de croissance élevée ont une performance annuelle nettement supérieure, parfois même jusqu'à six fois plus grande. Rappelez-vous cependant que, du point de vue du risque, la volatilité de ce type de portefeuille est au moins deux fois plus élevée que celle des portefeuilles plus conservateurs. Un marché à la baisse ramènera d'ailleurs à l'ordre ceux et celles qui se considèrent comme infaillibles.

Les portefeuilles de croissance élevée comportent évidemment des désavantages; ceux-ci sont relatifs aux profits potentiels que vous pouvez obtenir:

- *Une volatilité élevée.* Une volatilité élevée offre un potentiel de profit élevé, mais elle cache également un risque plus grand.

- *Un manque de liquidité.* Comme les titres des sociétés à petite capitalisation ne sont pas négociés aussi fréquemment que les titres de premier ordre, il peut y avoir un écart important entre le prix demandé ou offert et le prix «juste» établi par un marché important. Quand un titre jouit d'un volume important de transactions, un vendeur trouve plusieurs acheteurs qui se font concurrence pour acheter le titre. En conséquence, **la différence entre le cours acheteur et le cours vendeur est faible**. De la même façon, si vous désirez vendre un titre qui se négocie peu, vous devrez attendre qu'un acheteur se manifeste. En ce sens, dans le marché canadien, nous pouvons nous considérer comme très chanceux, car nous disposons toujours de quelqu'un qui «maintient» le marché — un professionnel qui est disposé à acheter votre titre, mais à *son* prix. Vous vous en doutez bien, l'écart entre le cours acheteur et le cours vendeur peut alors être passablement important.

- *Un risque plus élevé de faillite.* Proportionnellement, le nombre de fermetures de ce type de sociétés est beaucoup plus élevé que dans le cas de sociétés émettant des titres plus conservateurs. En effet, plus une société est jeune et plus sa capitalisation est faible, plus grand est le risque qu'elle ferme ses portes.

Remarquez, la disparition d'une société au sein de votre portefeuille ne devrait pas influer sur l'équilibre et sur la santé de votre portefeuille. Mais avez-vous suffisamment diversifié vos placements ? Votre investissement dans un seul titre à faible capitalisation est-il minime, comme il se doit ? Idéalement, il devrait compter **pour moins de 3 % de la valeur totale de votre portefeuille**.

• *Un manque de stabilité dans la performance.* Le désavantage le plus sérieux de ces portefeuilles est la volatilité élevée de leur rendement. Une année marquée par un rendement exceptionnel peut être suivie d'une année désastreuse.

• *Une incapacité de résister à la baisse de l'indice du marché.* Ce type de portefeuille est beaucoup plus vulnérable aux marchés à la baisse. Ce désavantage se manifeste essentiellement dans les fluctuations secondaires du marché. Mais puisque la tendance à long terme du marché est à la hausse et que ces périodes de prospérité sont plus nombreuses et plus longues que les périodes de correction, votre investissement offre en général un gain. Vous minimiserez les risques de ce type de portefeuille quand vous diversifierez vos investissements en achetant des titres d'autres catégories.

Un conseil : suivez de très près la performance de vos titres et soyez prêt à les liquider lorsque la tendance du marché semble changer.

2.5.2 Pour les aventuriers audacieux : les portefeuilles de croissance

Les portefeuilles de croissance sont constitués des titres qui composent ce qu'on appelle l'« antichambre » des *blue chips*, ces actions de sociétés de bonne qualité qui ne sont pas nécessairement de premier ordre. Il s'agit habituellement de titres de sociétés de moyenne capitalisation, qui offrent au portefeuille une plus grande stabilité, une faible volatilité et une croissance constante par rapport aux portefeuilles de croissance élevée. Toutefois, ce n'est pas le genre de titre dont le prix peut doubler dans l'espace d'une semaine. L'objectif des investisseurs qui bâtissent ces portefeuilles est double :

- Ils veulent investir dans des titres de sociétés dont la volatilité est habituellement inférieure à celle des titres qui composent les porte-feuilles de croissance élevée ;

- Ils comptent enregistrer un gain en capital intéressant à moyen terme.

Si le marché est à la hausse, ce type de portefeuille accumule de la plus-value à un rythme constant et suffisamment soutenu pour dépasser le rythme de l'inflation. Si le marché est à la baisse, le portefeuille perd de la valeur, mais à une vitesse inférieure à celle d'un portefeuille de croissance élevée. D'ailleurs, le bêta de ce type de portefeuille est généralement inférieur à celui des portefeuilles de croissance élevée.

La composition d'un portefeuille de croissance montre que la croissance vient essentiellement du secteur des titres industriels, des ressources, des produits de consommation et de l'énergie. Ce type de portefeuille a affiché un rendement annuel composé d'environ 11 % depuis une quinzaine d'années. Mais il ne faut pas compter sur ce type de portefeuille pour les revenus de dividendes.

Le tableau 2.5 donne une liste de titres qui peuvent constituer un portefeuille de croissance.

Tableau 2.5

Un exemple de portefeuille de croissance

Sociétés (actions ordinaires) présentées à titre indicatif

Drug Royalty Corp.

Gardiner Oil & Gas

Csa Management Inc Class A Speedy Muffler King

Thomson Corp.

Philip Envirmtl Inc.

Fahnestock Viner Hld Class A Nv

Canadian Pacific Ltd.

Sherritt Intl Corp.

Mark's Work Wearhouse

TransCanada Pipeline

Rio Algom Ltd.

La différence entre les portefeuilles de croissance élevée et les porte-feuilles de croissance est mince, car les objectifs de placement sont semblables pour chacun. En fait, la différence réside dans les techniques d'investissement utilisées par les détenteurs de ces portefeuilles. En effet, les détenteurs de portefeuilles de croissance élevée font de l'achat sur marge, de la vente à découvert, utilisent des options ou des contrats à terme, alors que les détenteurs de portefeuille de croissance n'utilisent pas (ou peu) ces méthodes. On peut également se servir d'autres critères, comme le bêta et le rendement en dividendes du portefeuille, pour apporter des nuances.

En effet, chaque portefeuille a un bêta qui le caractérise. Le bêta des portefeuilles de plus-value rapide est nettement supérieur à 1, alors que celui des portefeuilles de croissance s'en approche. Par ailleurs, le détenteur du portefeuille affichant le plus petit rendement en dividendes est habituellement le plus audacieux. Les sociétés qui veulent maximiser leur croissance ne distribuent pas de dividendes afin de pouvoir investir les profits et augmenter plus rapidement leur plus-value.

2.5.3 Pour les explorateurs prudents : les portefeuilles de croissance et de revenu de dividende

Les portefeuilles de croissance et de revenu de dividendes sont constitués de titres de sociétés de premier choix, les *blue chips*, c'est-à-dire des sociétés à grande capitalisation, financièrement solides et établies depuis longtemps, qui offrent des dividendes de façon continue. Cette catégorie complète la trilogie des portefeuilles dont les activités sont consacrées aux actions de sociétés. Ils sont intéressants pour la plupart des investisseurs, car ils offrent de nombreux avantages :

- la plus-value à long terme ;
- la sécurité de l'investissement ;
- l'encaissement de dividendes ;
- le rendement composé grâce au réinvestissement des dividendes.

Comme nous l'avons vu, les portefeuilles de croissance élevée et les portefeuilles de croissance n'offrent essentiellement qu'une seule source de rendement : **le gain en capital**. Les termes *croissance* et *revenu de dividendes*, quant à eux, vous indiquent deux sources de gain :

- la croissance des titres des sociétés, représentée par la plus-value des titres ou, si vous préférez, le gain en capital ;
- le rendement en dividendes, qui se chiffre en dollars ou en nouvelles actions émises par la société (ce qui permet à l'investisseur d'augmenter le nombre de ses actions sans rien débourser).

De ce type de portefeuille, il faut retenir que plus les dividendes sont importants dans la détermination du rendement, plus le comportement du portefeuille est stable, et ce, peu importe les conditions du marché. Vous devez également savoir que, si le marché est neutre ou à la baisse, les portefeuilles de croissance et de revenu de dividendes offrent, parmi les trois types de portefeuilles d'actions, les meilleures chances de conserver leur valeur.

En matière de réinvestissement des dividendes, ce type de portefeuille a obtenu, au fil des années, des résultats supérieurs à la moyenne des indices boursiers. Le tableau 2.6 donne la liste de quelques titres en guise d'exemple. Il montre un échantillon des meilleurs titres canadiens dans les secteurs financier, industriel et des ressources naturelles. La portion occupée par les banques canadiennes est généralement importante et souligne la haute qualité du portefeuille ; les principales banques canadiennes sont en effet le symbole de la stabilité sur le plan de la croissance et de la fidélité à la politique de distribution des dividendes. Ce type de portefeuille a toujours eu un rendement à long terme supérieur au taux d'inflation.

Tableau 2.6

Un exemple de portefeuille de croissance et de revenu de dividendes

Sociétés présentées à titre indicatif

Banque Royale du Canada	Bombardier Inc. 'B'
Banque Scotia	Barrick Gold Corporation
The Seagrams Company Ltd.	Rogers Communications Inc. 'B'
Banque de Montréal	NOVA Corporation
Alcan	Placer Dome
BCE Mobile Communications	Noranda

La volatilité de ce type de portefeuille est inférieure à celle des portefeuilles de croissance élevée et de croissance. Elle peut être aussi faible que 5 %, alors que son bêta est généralement inférieur à 1. C'est dire que dans un marché à la baisse, ces titres ne perdent pas de valeur aussi rapidement que le marché. En revanche, cela signifie également que, dans un marché à la hausse, ce type de portefeuille s'apprécie moins vite que les indices boursiers.

Le rendement est généralement inférieur à celui des portefeuilles 1 et 2 du tableau 2.1. Toutefois, ce n'est pas tout à fait exact lorsqu'on tient compte du réinvestissement des dividendes.

La pondération de chaque investissement dans le portefeuille agit bien entendu sur son rendement global. Voici un exemple de répartition de l'actif pour ce type de portefeuille :

Services financiers : 30 %
Produits de consommation : 20 %
Services : 20 %
Produits industriels : 20 %
Métaux et minéraux : 10 %

2.5.4 Pour les amateurs de voyages organisés : les portefeuilles équilibrés

Les objectifs de placement des portefeuilles équilibrés sont identiques à ceux du portefeuille de croissance et de revenu de dividendes. La différence réside dans le fait qu'une partie du revenu provient ici de titres de créance. En effet, le terme *équilibré* indique une harmonie entre les deux grandes familles d'investissement (voir le tableau 2.7). D'un côté, vous avez les actions et de l'autre, vous avez les obligations qui confèrent à ce type de portefeuille une plus grande stabilité en matière de revenu.

Tableau 2.7

Un exemple de portefeuille de type équilibré

Sociétés et obligations présentées à titre indicatif

Gouvernement du Canada 9 %, échéance décembre 2004

Gouvernement du Canada 11,25 %, échéance mars 2014

Stelco Inc. 'A'

Imasco Limited

Rogers Cantel Mobile Com. Inc. 'B'

Canadian Pacific Limited

Rio Algom Limited

Teck Corporation 'B'

TransCanada Pipeline Limited

Speedy Muffler King Inc.

The Thompson Corporation

Loblaw Companies Limited

Avenor Inc.

Note
Les deux premiers titres sont des obligations du gouvernement du Canada et les autres sont des actions.

Mis à part le choix des titres, l'une des principales décisions que doit prendre le détenteur de ce type de portefeuille concerne la répartition de ses actifs entre la partie procurant un revenu fixe et celle composée d'actions. On peut concevoir facilement que le revenu sous forme de coupons, compte tenu de l'excellente qualité des obligations, est une source sûre et constante. La partie obligataire peut représenter plus du tiers du portefeuille. Le reste est investi dans des titres de haute qualité qui donnent un rendement sous la forme de plus-value et de dividendes.

Quand on achète des obligations pour composer ce type de porte-feuille, on fait généralement une **gestion passive**, c'est-à-dire qu'on achète l'obligation uniquement comme source de revenu, et non pour négocier à maintes reprises afin de réaliser des gains en capitaux.

2.5.5 Pour les touristes du dimanche : les portefeuilles à revenu fixe

Les obligations « ordinaires » canadiennes sont naturellement les principales composantes d'un portefeuille de titres à revenu fixe. Ce type de portefeuille s'adresse aux investisseurs conservateurs qui veulent un revenu stable et qui désirent réduire le risque de perte du capital dans un contexte économique caractérisé par un faible taux d'inflation.

Vous pouvez également envisager l'ajout d'autres catégories de titres dans votre portefeuille à revenu fixe. Les plus populaires : les **coupons détachés**, les **obligations convertibles** et les **obligations internationales**.

2.5.6 Pour les voyageurs qui ne savent pas encore où aller : les portefeuilles du marché monétaire

Le marché monétaire est le marché des capitaux à court terme. Un portefeuille du marché monétaire est constitué de bons du Trésor émis par le gouvernement du Canada, de papier commercial émis par des sociétés qui offrent à titre de garantie uniquement leur nom et d'acceptations bancaires, qui est en quelque sorte l'équivalent du papier commercial, mais dont le paiement, en cas de défaut, est garanti par une banque. Le rendement du portefeuille est moins élevé que le papier commercial, car l'investissement est plus sûr. Un portefeuille du marché monétaire a trois objectifs :

* la préservation du capital ;

* la liquidité ;

* la maximisation du revenu à court terme.

Quand le marché des actions est neutre ou à la baisse, les portefeuilles du marché monétaire peuvent obtenir un rendement supérieur à ceux de croissance et de revenu. Quand les taux d'intérêt sont à la hausse, ils peuvent afficher une performance supérieure à celle des portefeuilles d'obligations.

Dans un environnement en croissance où le taux d'inflation est près de zéro, les portefeuilles du marché monétaire sont temporaires. En d'autres mots, on investit dans le marché monétaire en attendant que se présente une occasion d'achat. Par contre, dans un environnement inflationniste, c'est le contraire. La liste des instruments du marché monétaire se trouve dans l'hebdomadaire *Les Affaires*.

Le tableau 2.8 dresse la liste de ces instruments. Ce qui intéresse l'investisseur dans ce tableau, ce sont essentiellement les bons du Trésor, le papier commercial et les acceptations bancaires du marché monétaire canadien.

Tableau 2.8

Les instruments du marché monétaire

Marchés monétaires

Canada

	Semaine du	11-08	03-08	27-07	20-07
1. Taux d'escompte		5,00	5,00	5,00	5,00
2. Taux préférentiel		6,50	6,50	6,50	6,50
3. Bons du Trésor	(3 mois) (1)	4,96	4,97	4,98	4,88
	(6 mois) (1)	5,15	5,20	5,15	4,99
4. Papier commercial	(90 jours) (1)	5,28	5,22	5,21	5,10
5. Acceptations bancaires	(90 jours) (1)	5,25	5,23	5,19	5,06
6. Argent à demande (1)		4,67	4,97	4,82	4,72

États-Unis

		11-08	03-08	27-07	20-07
1. Taux d'escompte		5,00	5,00	5,00	5,00
2. Federal Funds		5,56	5,88	5,63	5,69
3. Taux préférentiel		8,50	8,50	8,50	8,50
4. Bons du Trésor	(3 mois)	4,94	4,98	4,92	4,95
	(6 mois)	4,94	5,03	5,02	5,04
5. Certificats de dépôt	(90 jours)	5,25	5,24	5,24	5,24
6. Papier commercial GMAC	(90 jours)	5,50	5,51	5,51	5,50
7. Eurodollars	(90 jours)	5,66	5,69	5,69	5,69

(1) Achat minimum de 1 M$

Tableau : LES AFFAIRES

Dans le cas des bons du Trésor, on trouve les échéances à trois mois et à six mois. Ces échéances sont les plus courantes. Les taux indiqués sont appliqués à des bons d'un million de dollars. L'investisseur qui en achète habituellement pour quelques milliers de dollars obtiendra un taux d'intérêt légèrement inférieur.

Un mot en terminant concernant les portefeuilles du marché monétaire international. Comme ils sont composés de titres provenant de marchés autres que le marché monétaire canadien, ils sont en devises étrangères. Ils procurent donc une certaine protection contre d'éventuelles baisses du dollar canadien par rapport à ces devises. Ces portefeuilles ne devraient pas se limiter au marché monétaire d'un seul pays. Ils devraient plutôt être constitués d'un panier d'instruments du marché monétaire en devises étrangères (yen, mark et dollar américain, par exemple).

Chapitre 3

CHOISIR SA STRATÉGIE DE PLACEMENT

L'investisseur qui veut bâtir un portefeuille de valeurs mobilières doit déterminer les stratégies de placement qu'il peut adopter en vue de maximiser son rendement tout en respectant son degré de tolérance à l'égard du risque. Une décision qui n'est pas toujours simple, vu le nombre de stratégies possibles et leur complexité.

Je vous propose donc neuf stratégies. Vous trouverez certainement celle qui s'adapte le mieux à votre tempérament et à vos objectifs. Les voici :

1. L'achat dans une perspective à long terme

2. La répartition de l'actif

3. La moyenne du coût d'achat

4. La valeur constante

5. Le ratio constant

6. L'achat et la vente d'options

7. L'achat sur marge

8. La vente à découvert

9. L'achat et la vente d'un indice boursier à terme

Les cinq premières stratégies proposées sont particulièrement simples, efficaces et, surtout, elles ne vous demandent pas beaucoup de temps. Vous pouvez les utiliser telles quelles, ou encore vous en inspirer pour concocter votre propre stratégie. Vous savez, vous pouvez créer vous-même des approches originales en combinant certaines de ces stratégies. Dites-vous que tout est possible.

Je dois vous avouer que les quatre autres stratégies sont un peu plus complexes. Par exemple, l'achat sur marge et la vente à découvert sont des stratégies d'investissement qui comportent évidemment un risque, mais qui peut se révéler fort élevé. Il faut avoir les nerfs solides! Lire attentivement les formulaires d'ouverture de compte n'est pas une mauvaise idée non plus. Vous devez absolument savoir dans quoi vous vous embarquez!

Rappel stratégique

Indépendamment de l'opinion que vous avez du cycle du marché dans lequel vous vous trouvez, il faut:

- déterminer le degré de risque moyen de votre portefeuille (page 99), soit le degré de risque avec lequel vous êtes à l'aise et qui correspond à vos objectifs;

- choisir les titres dont la relation rendement-risque est avantageuse (voir la ligne du marché boursier, page 72).

Puis, vous devez respecter les trois règles suivantes:

1. *Optez pour la diversification.* Idéalement, vous ne devez pas assigner à un seul titre **plus de 5% de la valeur totale de votre portefeuille** (évidemment, tout ça dépend du montant que vous souhaitez investir). En principe, je vous recommande de tendre vers un portefeuille composé d'une vingtaine de titres.

2. *Pratiquez la rotation du portefeuille, mais faites-le avec modération.* La rotation du portefeuille signifie vendre des titres pour en acheter d'autres plus rentables qui présentent un risque égal ou inférieur. La rotation devrait représenter au maximum entre 20% et 40% de votre activité.

Ce pourcentage, évidemment, dépend des occasions qui se présentent. Vous avez intérêt à utiliser cette pratique uniquement lorsque c'est nécessaire. N'oubliez jamais que trois erreurs sont possibles : vous pouvez vendre au mauvais moment, acheter au mauvais moment ou faire un mauvais choix de titre. Pensez-y donc (au moins) trois fois avant d'agir !

3. *Évitez les positions de vente à découvert.* L'investisseur qui a une perspective à long terme, qui est donc plus à l'aise avec les portefeuilles à faible volatilité, est peu enclin à réserver beaucoup de temps à la gestion de son portefeuille. Il ne devrait pas prendre la décision de vendre à découvert (voir la stratégie n° 8) à cause du suivi constant qu'exige cette stratégie.

stratégie n° 1
L'ACHAT DANS UNE PERSPECTIVE À LONG TERME

Cette stratégie considérée comme passive consiste à acheter des actions et des obligations pour les conserver le plus longtemps possible dans son portefeuille. La beauté de la chose : vous n'effectuez pas d'achat ni de vente de titres et vous minimisez les risques d'erreurs, votre degré de stress... de même que les commissions versées à votre courtier !

Lorsqu'on choisit cette stratégie, on part de l'idée que la tendance à long terme du marché boursier est à la hausse. En effet, à l'exception des périodes de ralentissement, l'économie du pays progresse toujours et la valeur des actions reflète cette situation. Le succès de cette stratégie repose sur deux conditions : le **choix des titres** et le **réinvestissement des dividendes**.

Dans des marchés surévalués, où beaucoup de titres se négocient à un niveau très élevé, il n'y a pas 36 solutions : vous devez choisir des valeurs sûres, des placements qui ont l'air d'aubaines dans une perspective à long terme. Le type de portefeuille qui s'adapte le mieux à cette gestion passive est **celui de croissance et de revenu** : à cause du rendement en dividendes, les titres de qualité sont portés, lorsque les marchés sont à la baisse, à « retenir » leur valeur plus que les titres de seule croissance.

Les actions et les obligations qui sont détenues dans ce genre de porte-feuille sont **de très haute qualité**. Au fil des années, les actions affichent une tendance à la hausse, même si cette progression semble parfois lente. Les actions recommandées pour cette stratégie sont celles qui offrent :

- un régime d'achat d'actions (une cinquantaine d'entreprises cana-diennes proposent un tel régime — voir tableau 3.1) ;

- la possibilité de convertir automatiquement (et sans frais) les divi-dendes en nouvelles actions (voir tableau 3.1) ;

- un léger escompte sur les actions achetées par le réinvestissement des dividendes (certaines entreprises offrent une réduction qui peut s'élever à 5 %) ;

- la possibilité de revendre les actions acquises par réinvestissement des dividendes sans frais de commission.

Tableau 3.1

Le régime d'achat d'actions

Au Canada, une cinquantaine de compagnies proposent un régime d'achat d'actions et de réinvestissement des dividendes (vérifiez si le régime est toujours en vigueur ou si d'autres sociétés offrent le même régime avant d'acheter une action) :

- Alcan
- Alberta Energy
- BCE
- B.C. Gas
- BC Telecom
- Banque CIBC
- Banque de Montréal
- Banque Scotia
- Banque Nationale
- Bruncor
- Canadien Pacifique
- Canadian Occidental
- Canadian Tire
- Cie pétrolière Impériale
- Edper Group
- Fortis
- Hudson's Bay

- IPL Energy
- Imasco
- Inco
- McMillan Bloedel
- Maritime T-T
- Molson
- Newtel
- Noranda
- Nova Scotia Paper
- Québec Téléphone
- Telus
- Total Petroleum
- TransAlta
- TransCanada Pipelines
- Trilon
- Westcoast Energy

Certaines compagnies américaines offrent un régime semblable, par exemple Chrysler, Gilette, Merck, Motorola, IBM, Proctor & Gamble, Heinz, Xerox et McDonald's.

En investissant ses dividendes, **l'investisseur ne reçoit pas d'argent**. Il voit plutôt s'accroître, au fil des années, le nombre d'actions qu'il possède et profite des bienfaits de l'intérêt composé. Aussi, si ces actions sont privilégiées, il est possible que le plan de réinvestissement des dividendes permette l'achat d'actions ordinaires plutôt que privilégiées.

Votre courtier peut vous indiquer quels titres on peut acheter en réinvestissant les dividendes en nouvelles actions et les particularités que certaines entreprises peuvent avoir greffées à leur régime de réinvestissement. Au fait, le tableau 1.1 du chapitre 1 de cet ouvrage, *La valeur de 1 $ après n périodes*, donne une bonne idée de l'effet multiplicateur du réinvestissement des dividendes.

Par ailleurs, le principal désavantage de l'achat dans une perspective à long terme se situe sur le plan fiscal : oui, **les dividendes que vous recevez sont imposables**. Comme nous l'avons dit, l'investisseur reçoit les dividendes sous la forme de nouvelles actions. Ainsi, il ne touche pas d'argent comptant, mais on lui enlève de l'impôt comme s'il en recevait.

stratégie n° 2
LA RÉPARTITION DE L'ACTIF

Selon les tenants de cette stratégie de la répartition de l'actif, il n'y a pas de décision d'investissement plus importante que la répartition de vos avoirs entre les titres à revenu fixe et les actions. À leur avis, **cette répartition est cruciale**, plus encore que le choix du titre lui-même et du moment choisi pour investir, deux variables qui n'influeraient que très légèrement sur votre rendement. La stratégie de la répartition de l'actif est particulièrement efficace si vous souhaitez obtenir un rendement maximal dans les nombreuses conditions du marché.

Comme vous l'avez constaté, le marché des titres de sociétés est un marché cyclique. À titre d'exemple, depuis le début du siècle, le marché américain a connu 54 corrections à la baisse de plus de 10 % et traversé une quinzaine de chutes de plus de 25 %. Cela reflète d'ailleurs la théorie classique de Charles H. Dow (le fondateur, avec Edward Jones, de l'indice Dow Jones en 1896), qui a dit : « Tout ce qui monte descend tôt ou tard. » Chaque cycle, qui peut durer des années, est caractérisé par **une tendance à la hausse et une tendance à la baisse**.

La tendance à la hausse, comme celle à la baisse, est formée de trois phases : la phase initiale, la phase intermédiaire et la phase finale.

Cette division en trois phases est fort utile. En effet, si vous êtes en mesure de déterminer la phase dans laquelle vous vous trouvez, vous pouvez adapter la composition de votre portefeuille à celle-ci afin d'optimiser votre rendement. Évidemment, dans un marché à la baisse, on préférerait ne pas détenir d'actions, mais plutôt des titres du marché monétaire ; en ce sens, quand la phase ascendante se présente, on aimerait détenir des titres à haut bêta et des titres précurseurs. Puis, au fur et à mesure que la tendance à la hausse s'affirme, on achèterait des titres retardataires. Mais ce serait bien trop beau !

En pratique, on ne sait pas vraiment dans quelle phase ou à quelle étape d'une phase on se trouve. Vous courez le risque d'avoir raison, mais trop tôt, ce qui vous amènera à prendre de mauvaises décisions. Par exemple, on peut imaginer être rendu à la fin du cycle haussier, décider de vendre toutes ses actions pour acheter des bons du Trésor, puis assister à une nouvelle année de hausse spectaculaire du marché boursier (un exercice relativement frustrant). À l'inverse, on peut croire que le marché est encore à la hausse alors qu'il se trouve déjà au début de sa tendance à la baisse et se retrouver dans le rouge.

Cela dit, partez de façon optimiste. Vous ne devez pas penser que vous vous trompez dans vos prévisions parce que vous êtes un néophyte. Vous savez, dans le monde des prévisions, tous les experts, surtout ceux qui s'appuient uniquement sur l'analyse fondamentale (voir le chapitre 1), finissent par se tromper tôt ou tard. L'analyse technique (voir le chapitre 1) est, à mon avis, le meilleur outil pour avoir une idée de l'endroit où l'on se trouve dans un cycle particulier.

Et encore. On n'est jamais sûr à 100 %. Chose certaine, méfiez-vous des recettes faciles **parce qu'il n'y en a pas**. La meilleure recette qu'on ait trouvée jusqu'à maintenant pour réduire la composante risque est la répartition des actifs. En répartissant vos actifs, vous profitez du marché boursier lorsqu'il a le vent dans les voiles, mais vous protégez également vos arrières parce qu'une portion des titres que vous détenez sont à revenu fixe. Il ne vous reste plus qu'à savoir bien doser.

Vous remarquerez que la plupart des stratégies que je vous propose font référence à un portefeuille équilibré. C'est l'approche que je privilégie... Je crois honnêtement que c'est la plus prudente et la plus intelligente !

stratégie n° 3
LA MOYENNE DU COÛT D'ACHAT

La moyenne d'achat est l'une des méthodes d'investissement les plus anciennes et les plus séduisantes qui soient. Elle est simple, extrêmement efficace et, pourtant, bon nombre d'investisseurs ne la connaissent même pas ! C'est bien simple : à mon avis, **c'est la meilleure façon d'investir.**

Cette technique consiste tout simplement à acheter des titres sur une base régulière, pour un montant fixe donné, pendant une période assez longue. L'investisseur qui choisit cette approche est convaincu que l'instabilité des marchés peut accroître son rendement total à long terme. En fait, le principal avantage de cette stratégie est d'éliminer le problème que vivent bien des investisseurs, c'est-à-dire de tenter de déterminer quel est le meilleur moment pour acheter des titres.

Attention à l'effet des commissions !

Une façon d'atténuer le poids des commissions consiste à acheter un plus grand nombre d'actions. Ainsi :

- si la commission de votre courtier est **simple**, c'est-à-dire basée seulement sur un pourcentage du prix d'achat ou de vente des actions, vous pouvez négocier des escomptes ;

- si la commission de base est de **1,5 %**, vous pouvez négocier un escompte croissant, proportionnellement au nombre d'actions que vous achetez ;

- si la commission du courtier est **à deux volets**, c'est-à-dire basée sur un montant fixe de base plus un certain nombre de dollars par nombre d'actions négociées, vous constaterez que plus grand est ce nombre, moins cher en pourcentage sera la commission.

Par exemple, pour l'achat de 100 actions canadiennes d'une valeur de 25 $ chacune, une commission typique est la suivante : 35 $ de base plus 0,06 $ l'action. À l'achat de 100 actions, vous débourserez donc 2500 $ (25 $ l'action x 100 actions) plus 41 $ de commission (35 $ + 0,06 $ x 100 actions). En pourcentage, cela revient à 1,6 % (= 41 $ divisé par 2500 $). Vous me suivez toujours ? Puis, si vous achetez 300 actions à la fois, le pourcentage tombe à 0,7 % [(35 $ + 0,06 $ x 300 actions) ÷ (25 $ x 300 actions)].

En conclusion, on ne peut pas se soustraire aux frais de commission, mais on peut en réduire le montant en achetant plus d'actions et, naturellement, en magasinant parmi les maisons de courtage.

Supposons maintenant que vous disposiez de 900 $ pour acheter des actions de La Bonne Affaire (BABA). Le cours actuel de l'action de BABA est de 25 $. Vous pouvez alors acheter 36 actions de BABA (900 $ ÷ 25 $). La méthode de la moyenne d'achat signifie que vous ne ferez pas votre achat en une seule transaction. Vous le séparerez, par exemple, en neuf versements mensuels (trimestriels, semestriels ou annuels) de 100 $ chacun.

En utilisant cette stratégie, vous profitez des **fluctuations à la baisse du marché** : chaque baisse devient une occasion d'acheter un nombre plus important de titres. Et croyez-moi, le résultat est pour le moins surprenant ! L'exemple du tableau 3.2 montre que notre investisseur possède dorénavant 44 actions, 9 actions de plus que s'il avait fait un achat unique de 900 $. Il s'agit d'un gain en actions de presque 25 %, et nous n'avons pas encore évalué les dividendes supplémentaires qu'il reçoit et l'effet du réinvestissement des dividendes en nouvelles actions. Évidemment, si les dividendes supplémentaires sont réinvestis en nouvelles actions, l'effet des intérêts composés est encore plus important.

Pour obtenir ce résultat, on établit l'hypothèse que le prix initial et le prix final de BABA est le même après neuf périodes ; pourtant, pendant ce laps de temps, le prix a fluctué à la hausse et à la baisse — un scénario dans un marché variable. Vous pourriez également faire le même exercice dans un marché à la hausse et dans un marché à la baisse.

Mais revenons à notre marché variable. Comment est-il possible de faire plus avec le même investissement ? En dépensant un montant fixe à intervalles réguliers, on achète chaque fois un nombre d'actions différent. Rappelez-vous qu'au cours de cette période, le prix de l'action oscille à la hausse et à la baisse. Si le prix est inférieur au prix initial, l'investisseur achètera plus d'actions. Si le prix est supérieur, il en achètera moins. Le tableau 3.2 présente les résultats d'une telle technique d'achat.

Tableau 3.2

Le nombre d'actions de BABA achetées à l'aide de la méthode de la moyenne du coût d'achat

Période	Prix de l'action de BABA ($)	Montant par période divisé par le prix de BABA	Nombre d'actions achetées chaque mois
1	25	100/25	4
2	40	100/40	2
3	25	100/25	4
4	10	100/10	10
5	25	100/25	4
6	40	100/40	2
7	25	100/25	4
8	10	100/10	10
9	25	100/25	4
Nombre d'actions achetées après neuf mois			44

Note

Nous n'avons pas tenu compte des fractions, car, dans la pratique, l'investisseur ne peut pas acheter moins qu'une action. En réalité, l'investisseur achète toujours un nombre d'actions légèrement inférieur à celui calculé parce qu'il doit renoncer à la partie fractionnaire.

Le fait d'acheter plus d'actions à un prix plus bas dans une mauvaise année abaisse le prix moyen d'achat. Quand le prix remonte, le profit de l'investisseur est donc encore plus grand. Évidemment, tout cela est vrai si le titre est de qualité et que la baisse du titre est temporaire. Je vous rappelle que si le marché est à la hausse, trois méthodes permettent de répéter un investissement dans le même titre :

- *La méthode de la pyramide.* Au fur et à mesure qu'un titre monte, on achète un nombre décroissant d'actions. Cela permet d'avoir un prix moyen d'achat plus bas. Si le titre baisse, il faut attendre une baisse importante sans quoi il y a un danger de se retrouver dans une situation précaire.

- *La méthode de la pyramide inversée.* Au fur et à mesure que le prix monte, on achète un nombre croissant d'actions. Le problème avec cette méthode est que le prix moyen d'achat est plus élevé que celui obtenu par la méthode pyramidale classique. Si le prix baisse, vous pourriez facilement vous retrouver avec un prix moyen d'achat élevé.

Pourquoi un investisseur adopterait cette méthode si négative? Habituellement, c'est un néophyte qui agit ainsi. Initialement, l'investisseur, timide par rapport à ses propres convictions, achète un petit nombre d'actions. Par la suite, voyant que la tendance est vraiment à la hausse, il finit par prendre de l'assurance et par en acheter de plus en plus.

- *La méthode du cylindre.* Au fur et à mesure que le titre monte, on achète toujours le même nombre d'actions. Dans ce cas, le prix moyen d'achat monte, oui, mais il monte moins vite que dans le cas de la méthode de la pyramide inversée.

Des trois méthodes, la plus conservatrice est naturellement la première, celle qu'on applique dans la stratégie de la moyenne d'achat.

stratégie n° 4
LA VALEUR CONSTANTE

Lorsque vous utilisez la stratégie de la valeur constante, c'est simple, la valeur de votre portefeuille d'actions demeure constante. Lorsque le prix des actions monte, vous pouvez vendre suffisamment d'actions pour revenir à la valeur initiale de votre portefeuille. Le fruit de la vente est alors investi dans les véhicules des marchés obligataire et monétaire.

À l'opposé, si la valeur de votre portefeuille d'actions baisse, vous achetez vos actions avec de l'argent «neuf», c'est-à-dire non obtenu de la vente d'obligations ou de bons du Trésor de votre portefeuille. La valeur de ces nouvelles actions compense votre perte. C'est un bon moment pour acheter, puisque leur prix a baissé et que vous pouvez en acquérir plus. Vous l'aurez peut-être remarqué : avec la stratégie de la valeur constante, vous appliquez également la méthode de la moyenne d'achat.

La méthode de la valeur constante vous permet de créer un portefeuille équilibré (c'est-à-dire composé d'**actions** et d'**obligations**). La stratégie consiste à acheter des actions quand leur prix est bas et à opter pour les obligations quand le prix des actions est trop élevé. Cela exige beaucoup de discipline de la part des adeptes de cette stratégie, mais comme on a souvent les qualités de ses défauts, la stratégie de la valeur constante a l'avantage de forcer l'investisseur à vendre quand le marché des actions est à la hausse.

La méthode comporte ses variantes. Par exemple, au lieu d'acheter des obligations ou des bons du Trésor, vous pouvez acheter des **actions privilégiées**. De cette façon, au fur et à mesure que le marché monte, vous remplacez des titres spéculatifs par des titres plus conservateurs. La stratégie de la valeur constante en est une de **prudence**.

Il n'y a pas vraiment de désavantages à utiliser cette stratégie. Vous devez cependant décider du pourcentage de hausse ou de baisse que vos actions doivent afficher avant de pratiquer une telle stratégie. Dans un marché fortement à la hausse, vous pouvez opter pour un pourcentage plus élevé. À l'inverse, dans un marché à la baisse, vous maintenez le niveau le plus bas possible. En moyenne, 20 % se révèle un bon pourcentage.

stratégie n° 5
LE RATIO CONSTANT

La méthode du ratio constant s'adresse surtout aux détenteurs de portefeuilles équilibrés. Il s'agit de diviser votre portefeuille en deux parties égales : vous investissez **une moitié en actions et l'autre en obligations**. Vous vous efforcez par la suite de maintenir ce ratio.

Par exemple, si la valeur de votre portefeuille passe de 10 000 $ à 12 000 $ parce que le prix de vos actions s'est apprécié et que celui de vos obligations est demeuré le même, vous devez, selon cette approche, vendre 1000 $ d'actions et investir ce montant en obligations. Inversement, si le prix de vos obligations est devenu supérieur au prix de vos actions, vous devez céder des obligations. L'objectif est toujours le même : respecter votre ratio initial de 50-50.

Vous pouvez opter pour les variantes suivantes de cette stratégie :

- Au lieu de 50-50, la distribution de l'actif pourrait être de 40-60, c'est-à-dire 40 % en actions et 60 % en obligations. La distribution est fonction de votre perception du marché et de la direction future des profits des entreprises. Comme nous l'avons vu précédemment, dans un environnement où les taux d'intérêt sont à la baisse, le prix des obligations s'apprécie habituellement plus rapidement que le prix des actions. Si vous anticipez une baisse des taux d'intérêt, il y a de fortes chances que votre portefeuille reflète cette anticipation et ait une pondération plus importante en obligations.

- La distribution entre deux classes d'actif n'est pas nécessairement une norme absolue. Vous pouvez répartir la valeur totale de votre portefeuille d'une tout autre façon : 25 % en actions, 25 % en obligations, 25 % en bons du Trésor canadiens et 25 % dans le marché monétaire international. Puis, vous rajustez périodiquement votre portefeuille afin qu'il revienne à sa distribution initiale.

stratégie n° 6
L'ACHAT ET LA VENTE D'OPTIONS

Les options sont des instruments **dérivés** : ils n'existent que si, par exemple, un titre de société leur donne naissance. Le marché canadien — notamment, par l'entremise des Bourses de Montréal et de Toronto — a été l'un des premiers au monde à offrir des options aux investisseurs, presque en même temps que le Chicago Board Option Exchange au début des années 1970. Il existe deux sortes d'options : les options *call* et les options *put*.

L'option *call*

L'option *call* est un droit d'achat d'un titre donné. Une option d'achat vous donne le droit d'acheter 100 actions d'un titre avant une date précise, toujours le troisième vendredi du mois de l'option, et à un prix préalablement fixé.

Vous pouvez, par exemple, détenir l'option d'achat (ou *call*) décembre/40 sur le titre de XYZ, auquel est attachée une prime de 3 $. Cette « prime » représente le prix à payer, par action, pour acheter l'option. En d'autres mots, vous payez 300 $, plus commission, pour en faire l'acquisition.

> La prime du *call* est calculée **par action**. Puisque la taille d'une option sur les titres de sociétés nord-américaines est généralement de 100 actions, en multipliant 3 $ par 100, on obtient le montant qu'il faut débourser pour devenir le détenteur d'une option d'achat sur le titre de XYZ.

Légalement, le propriétaire de cette option a le droit d'acheter 100 actions de XYZ entre le moment de l'achat de l'option et son échéance (le troisième vendredi de décembre) à 40 $, qui est le prix d'exercice de l'option – un prix qui n'a rien à voir avec le prix actuel de l'action de XYZ.

Exemple

• • • • • • • • • • • • • • • • • • •

Supposons que le cours actuel de l'action est de 37 $ et que le prix de l'option est de 3 $. Vous payez donc 3 $ une option qui vous permet d'acheter cette action à 40 $. Comme nous l'avons dit, cette option devra être levée le troisième vendredi de décembre ou avant. Si le prix de l'action passe à 50 $, vous pourrez alors lever votre option pour acheter l'action au prix de 40 $ et la revendre à 50 $. Vous ferez donc un profit de 7 $ par action [50 $ (nouveau prix) - 40 $ (prix déterminé par l'option) - 3 $ (prix de l'option)].

L'avantage d'acheter une option d'achat de XYZ plutôt que 100 actions de XYZ réside dans le fait que le coût de l'investissement initial est nettement inférieur (300 $ en détenant une option d'achat contre 4000 $ lorsqu'on achète les actions au prix déterminé par l'option) et le risque est limité (300 $ plutôt que 4000 $). En revanche, le gain est potentiellement le même ; en effet, l'option offre un **effet de levier** que l'investissement en actions ne permet pas.

Cela dit, il existe deux désavantages à fonctionner ainsi :

- La durée de vie d'une option est **courte** (généralement moins d'un an), alors qu'un titre de société peut avoir une durée de vie éternelle.

- La prime **perd naturellement de la valeur** tous les jours. En effet, la prime payée exprime l'espoir de faire de l'argent avec cet investissement.

Cet espoir est fonction du temps. Plus il y a de temps avant l'échéance, plus la probabilité de réaliser un profit est grande et, par conséquent, plus la prime est élevée. Par exemple, l'investisseur qui a acheté le *call* décembre/40 a payé 3 $. Ce coût, l'investisseur l'assume dans l'espoir de faire de l'argent. Son placement ne sera profitable que si le prix du titre de XYZ s'élève à plus de 43 $, qui représente le seuil de rentabilité de son investissement (le prix d'exercice de 40 $ + la prime de 3 $). Au fur et à mesure que le temps passe, l'espoir de faire de l'argent, ou d'en faire plus, s'estompe : la durée de vie de l'option devient de plus en plus mince.

Le graphique suivant démontre le profil des profits et des pertes de cette option d'achat particulière au moment de son échéance.

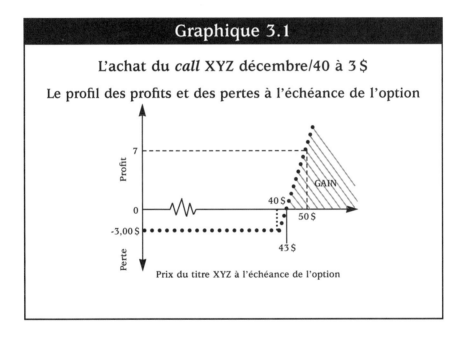

Graphique 3.1

L'achat du *call* XYZ décembre/40 à 3 $

Le profil des profits et des pertes à l'échéance de l'option

Si le prix du titre de XYZ dépasse le seuil de 43 $, le détenteur de l'option réalise un **gain**. Ces considérations valent toujours à l'échéance de l'option. Toutefois, avant l'échéance, le comportement de l'option est moins clair. En effet, il est plus difficile d'illustrer le profil des profits et des pertes. L'aide d'un ordinateur est requise : il faut tenir compte d'autres variables que le prix du titre, comme le **temps qu'il reste à l'échéance** et la **volatilité** (voir le chapitre 1). Le tableau 3.3 montre le comportement de la prime de l'option à son échéance.

Tableau 3.3

La valeur du *call* XYZ décembre/40 dont la prime est de 3 $,
à l'échéance de l'option le troisième vendredi de décembre
et le profil des profits et des pertes pour l'investisseur

Prix du titre de XYZ à l'échéance de l'option ($ par action)	Prime de l'option à son échéance ($ par action)	Profit réalisé par l'investisseur qui détient l'option d'achat décembre/40 ($ par action) (commission exclue)
30	0	-3
35	0	-3
40	0	-3
43	3	0 seuil de rentabilité
45	5	2
50	10	7
55	15	12

Si le titre n'a pas un mouvement favorable durant la durée de vie de l'option, l'investisseur risque de perdre sa mise de fonds initiale. À noter que le propriétaire d'une option n'a pas le droit de recevoir des dividendes.

Le *put*

Un *put* est un droit de vente. Une option de vente vous donne le droit de vendre, en règle générale, 100 actions d'un titre avant une date précise (toujours le troisième vendredi du mois de l'option). Toujours selon notre exemple, une personne qui détient une option de vente décembre/40 paie 3 $ (plus commission) pour l'acheter. En multipliant 3 $ par 100, on obtient le montant qu'on doit débourser pour acquérir une option de vente sur le titre de XYZ.

Comme c'est le cas lorsqu'il détient une option d'achat, le propriétaire d'une option de vente a le droit — mais non l'obligation — de vendre 100 actions de XYZ entre le moment de l'achat de l'option et son échéance (le troisième vendredi de décembre) à 40 $, c'est-à-dire le prix d'exercice de l'option qui n'a rien à voir avec le prix actuel de l'action XYZ.

L'avantage d'acheter une option de vente de XYZ est de profiter de la baisse du titre en prenant un **risque limité**, soit celui de la prime que vous avez payée initialement. Le risque est l'effritement de la prime au fur et à mesure que le temps passe.

Voici, graphiquement, le profil des profits et des pertes de cette option de vente une fois arrivée à son échéance.

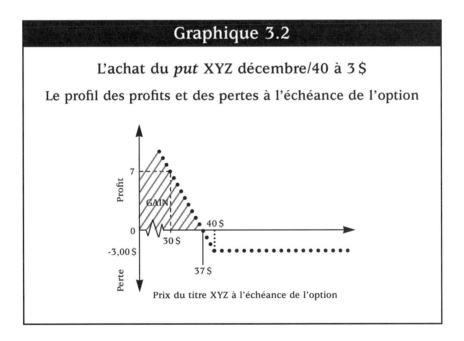

Graphique 3.2

L'achat du *put* XYZ décembre/40 à 3 $

Le profil des profits et des pertes à l'échéance de l'option

On remarque que l'investisseur, à l'échéance de l'option, perd sa mise si le titre de XYZ s'élève à plus de 40 $. À 37 $, le détenteur de l'option a atteint le seuil de rentabilité. En effet, il possède une option qui lui donne le droit de vendre les actions à 40 $ alors que, sur le marché, elles s'élèvent à 37 $. Mais il a en main une option qu'il a payée 3 $ l'action. Son investissement dans l'option réduit le prix de vente de 40 $ à 37 $.

Quand le prix du titre de XYZ est inférieur à 37 $, le détenteur de l'option de vente réalise un gain. Si, par exemple, le prix du titre est tombé à 30 $ l'action, le propriétaire du *put* réalise un profit de 7 $ l'action. Ces considérations valent toujours à l'échéance de l'option. Encore une fois, avant l'échéance, le comportement de l'option est moins clair.

Le tableau 3.4 montre le comportement de la prime de l'option à son échéance.

Tableau 3.4

La valeur du *put* XYZ décembre/40 dont la prime est de 3 $, à l'échéance de l'option le troisième vendredi de décembre et le profil des profits et des pertes pour l'investisseur

Prix du titre de XYZ à l'échéance de l'option ($ par action)	Prime de l'option à son échéance ($ par action)	Profit réalisé par l'investisseur qui détient l'option de vente décembre/40 ($ par action) (commission exclue)
25	15	12
30	10	7
35	5	2
37	3	0 seuil de rentabilité
40	0	-3
45	0	-3
50	0	-3

Le *call* synthétique

Une autre utilisation de l'achat d'une option de vente est d'assurer la valeur du titre qu'on possède. Ainsi, si le prix de XYZ tend à se corriger à la baisse, l'achat d'un *put* permet d'engendrer un profit qui peut compenser la perte de la valeur du titre. Cette stratégie est très intéressante *a priori,* car elle correspond à une police d'assurance contre le risque de perte.

Voici, graphiquement, le profil des profits et des pertes de cette stratégie.

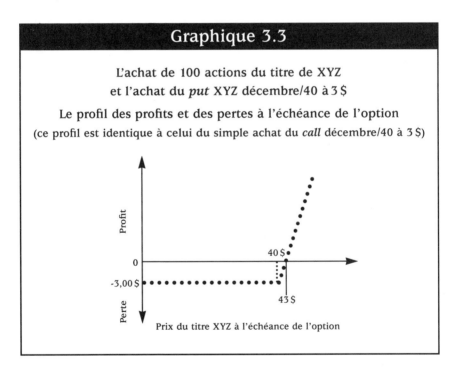

Graphique 3.3

**L'achat de 100 actions du titre de XYZ
et l'achat du *put* XYZ décembre/40 à 3 $**

Le profil des profits et des pertes à l'échéance de l'option
(ce profil est identique à celui du simple achat du *call* décembre/40 à 3 $)

Profit

0

-3,00 $

40 $

43 $

Perte

Prix du titre XYZ à l'échéance de l'option

Comme vous pouvez le constater, ce graphique est identique à celui de l'achat du *call* XYZ décembre/40. Normal : le fait de posséder le titre de XYZ et d'acheter le *put* XYZ décembre/40 illustre le même comportement (en regard des profits et des pertes) que le simple achat du *call*. Dans le jargon des options, on appelle cette stratégie un *call* synthétique.

Le graphique montre que l'investisseur qui a acheté le *put* est protégé contre la chute du titre parce qu'il ne pourra perdre plus que 3 $ par action, même si sa valeur chute à zéro.

Quand le prix du titre de XYZ dépasse à la hausse le seuil des 43 $, le détenteur du titre et de l'option réalise un gain. Le lecteur notera que le fait d'avoir acheté le *put* comme assurance implique que le profit sur le titre viendra seulement après que la hausse de ce dernier aura «payé» la prime de l'option. Le tableau 3.5 montre le profil des profits et des pertes de cette stratégie.

Tableau 3.5

La valeur du *call* synthétique XYZ décembre/40, à l'échéance de l'option le troisième vendredi de décembre et le profil des profits et des pertes pour l'investisseur

Prix du titre XYZ à l'échéance de l'option ($ par action)	Profit/perte sur XYZ ($ par action)	Profit/perte sur le *put* XYZ décembre/40 ($ par action)	Profit/perte réalisé par l'investisseur (la somme des deux colonnes précédentes) ($ par action)
25	-15	12	-3
30	-10	7	-3
35	-5	2	-3
37	-3	0	-3
40	0	-3	-3
43	3	-3	0 seuil de rentabilité
45	5	-3	2
50	10	-3	7
55	15	-3	12
60	20	-3	17

Dans le monde des options, on dénombre plus de 700 stratégies. L'acquisition d'une option d'achat et d'une option de vente ne sont que les deux premières stratégies.

La vente initiale couverte d'options d'achat (*covered call writing*)

Une stratégie courante pour un investisseur qui utilise les options consiste à effectuer une vente initiale couverte d'options d'achat. En anglais, cette stratégie porte le nom de *covered call writing*.

En gros, elle fonctionne ainsi : au départ, vous devez posséder les actions d'un titre. Ensuite, vous vendez des options d'achat sur ce même titre — c'est ce qu'on appelle la vente initiale. De cette façon, vous encaissez la prime et vous souhaitez la conserver jusqu'à l'échéance de l'option. Vous atteignez votre objectif si le prix de votre titre n'augmente pas considérablement. Cette stratégie vous permet de profiter d'une variable technique des options qui porte le nom de thêta ou **effritement quotidien de la valeur temps de la prime**.

Si vous vous trompez dans vos prévisions, vous risquez de devoir racheter l'option à un prix plus élevé que votre prix de vente, engendrant ainsi une perte sur l'option qui est compensée par le gain que vous faites sur le titre. Cette stratégie vous permet de profiter non seulement de la plus-value sur vos actions et vos dividendes, mais aussi du thêta, qui est la troisième dimension de profit.

stratégie n° 7
L'ACHAT SUR MARGE

Technique audacieuse, l'achat sur marge vous permet d'acheter des actions en empruntant de l'argent à votre courtier. **Au moyen de cet effet de levier, vous obtenez un rendement plus élevé lorsque le marché est à la hausse**. Vous pouvez même profiter d'un revenu additionnel provenant des dividendes. C'est le bon côté de cette stratégie. Toutefois, attention : il s'agit également d'une stratégie **potentiellement dangereuse** si la valeur de votre investissement diminue !

Le risque se manifeste vraiment au moment où le marché amorce une baisse. S'il s'agit d'une nouvelle tendance et que vous n'avez pas fermé vos positions à temps, l'effet de levier travaille lourdement contre vous. Par exemple, en achetant sur marge à 50 % 200 actions de La Bonne Affaire (BABA), dont chacune vaut 10 $, vous déboursez seulement 1000 $ au lieu de 2000 $. Si le titre monte à 15 $, vous voyez la valeur de vos actions grimper à 3000 $. Si le titre baisse à 5 $, la valeur totale de vos actions sera seulement de 1000 $.

Dans le premier cas, vous aurez doublé votre capital initial. Dans le second, vous devrez verser 500 $ à votre courtier. En effet, la valeur des actions ayant baissé à 1000 $, la marge de votre courtier à laquelle vous avez droit est maintenant de 500 $ seulement. Mais comme ce dernier vous avait versé initialement 1000 $, il faudra lui rembourser les 500 $ excédentaires.

Au moment d'écrire ces lignes, les critères de prêt d'un courtier étaient les suivants :

Prix du titre	Prêt maximal du courtier
2 $ et plus	50 % de la valeur du marché
De 1,75 à 1,99 $	40 % de la valeur du marché
De 1,50 à 1,74 $	20 % de la valeur du marché
Moins de 1,50 $	aucune marge permise

Si votre titre fait l'objet d'options, votre courtier peut vous prêter jusqu'à 70 % de la valeur du marché.

Supposons que vous achetiez 1000 actions d'un titre coté à 3 $ qui ne fait pas l'objet d'options. Vous recevez de votre courtier un prêt de 1500 $ et payez vous-même l'autre tranche de 1500 $.

Qu'arrive-t-il lorsque la valeur du titre baisse? Si le titre baisse à 2 $, la nouvelle valeur de votre investissement est de 2000 $. À ce montant, il faut soustraire l'avance du courtier qui, maintenant, n'est que de 1000 $ (50 % de 2000 $). Le courtier avait initialement prêté 1500 $. Vous devez donc verser à votre courtier 500 $ d'argent neuf.

Et qu'arrive-t-il lorsque la valeur du titre grimpe? Supposons que le titre passe de 3 $ à 4 $. La valeur de votre investissement est maintenant de 4000 $. Initialement, le coût des actions était de 3000 $. Le courtier avait prêté 1500 $. Vous avez droit à 2000 $ de marge. Vous avez dans votre compte une couverture excédentaire de 500 $, c'est-à-dire la différence entre 1500 $ et 2000 $.

Vous payez à votre courtier des intérêts pour le prêt que vous recevez. Le taux est généralement moins élevé qu'un prêt bancaire parce que le courtier garde en garantie les actions achetées. Bien entendu, le coût de l'emprunt est une dépense d'investissement; on doit donc considérer celle-ci comme une dépense déductible d'impôt.

Les comptes sur marge sont très populaires, surtout quand les marchés boursiers sont à la hausse. Comme nous l'avons vu, ils sont alors très avantageux. Toutefois, étant donné les risques qui en découlent (personne n'aime recevoir un appel du courtier parce que son compte a un découvert!), les achats sur marge sont destinés aux investisseurs qui suivent de près leurs investissements.

stratégie n° 8
LA VENTE À DÉCOUVERT

Vous avez emprunté des actions à votre courtier et vous les vendez sans les posséder. **Si vous utilisez cette stratégie de vente à découvert, c'est que vous êtes convaincu que le prix du titre baissera.**

Imaginons qu'il s'agit du titre d'ABC à 40 $ l'action. Vous décidez de vendre à découvert. Si le titre baisse à 30 $ comme vous l'aviez prévu, vous pourrez racheter à ce prix et le rendre au courtier qui l'avait prêté. Le profit réalisé est de 10 $ par action... moins la commission et les frais d'emprunt, évidemment !

Quelles sont les conditions exigées par les courtiers pour vendre à découvert ? Il n'y en a pas 36 : il vous faut simplement une couverture. Au moment d'écrire ces lignes, les couvertures exigées sont les suivantes :

Prix du titre	Couverture minimale demandée par le courtier
2 $ et plus	150 % de la valeur du marché
De 1,50 $ à 1,99 $	3 $ par action
De 0,25 $ à 1,49 $	200 % de la valeur du marché
Moins de 0,25 $	100 % de la valeur du marché plus 0,25 $ par action

Si le titre choisi peut faire l'objet d'options, votre courtier pourra exiger une couverture minimale de 130 % de la valeur du marché. Imaginons maintenant que le titre d'ABC est à 40 $ l'action et qu'il ne peut pas faire l'objet d'options. Pour prendre cette position de vendeur initial ou à découvert de 100 actions, vous devez déposer dans votre compte la somme de 6000 $ (40 $ x 100 actions + 50 %). En vendant à 40 $ chacune les actions d'ABC qui vous ont été prêtées par le courtier, vous avez dans votre compte un crédit de 4000 $. La différence entre le montant initial de 6000 $ et de 4000 $ donne votre mise de fonds, soit 2000 $.

Qu'arrive-t-il si le titre d'ABC grimpe ? Supposons qu'après la vente à découvert à 40 $, le titre monte à 50 $. La marge exigée par votre courtier est de 7500 $ (50 $ x 100 actions + 50 %). Le montant que vous devez maintenant couvrir est de 500 $.

Et qu'arrive-t-il si le titre d'ABC baisse? Si le titre baisse à 30 $, la marge exigée par le courtier est de 4500 $ (30 $ x 100 actions + 50 %). L'investisseur avait initialement déposé dans son compte 2000 $. Il a maintenant un excès de marge de 500 $ (2000 $ - 1500 $).

Les risques d'appels de marge des courtiers font en sorte que la vente à découvert est une stratégie pour les investisseurs qui suivent de très près le marché. Les professionnels de la finance se servent du crédit qui leur vient des ventes à découvert pour acheter d'autres titres.

stratégie n° 9
L'ACHAT ET LA VENTE D'UN INDICE BOURSIER À TERME

Dans le domaine du commerce, on ne peut qu'acheter d'abord et vendre ensuite. Par exemple, j'achète un immeuble et ensuite je le revends, si possible, à un prix plus élevé. Il est évident que je ne peux pas faire l'inverse, c'est-à-dire vendre l'immeuble avant de l'avoir acheté. Toutefois, comme nous l'avons vu, à la Bourse, on peut parfois pratiquer la **vente à découvert**, c'est-à-dire vendre avant d'acheter.

S'il s'agit de valeurs mobilières, le courtier prête des actions à l'investisseur. Ce dernier les vend en Bourse pour les racheter plus tard à un prix qu'il espère inférieur. Dans le cas des marchés à terme sur indices de Bourse, l'investisseur vend un contrat à terme pour ensuite le racheter à un prix qu'il espère plus bas.

Au moment d'écrire ces lignes, il n'y avait pas, au Canada, un contrat de ce type suffisamment liquide pour protéger votre portefeuille d'actions canadiennes. Le contrat à terme sur indice boursier le plus populaire est le Standard & Poor's 500. Il est utilisé au Canada par les détenteurs de portefeuilles qui ont une forte composante de titres américains.

Quand un investisseur achète ces contrats, il fait un geste similaire à l'achat d'actions sur marge, mais il profite d'un effet de levier beaucoup plus grand. Par exemple, il dépose chez le courtier une marge de

20 000 $ américains et il devient le responsable des fluctuations d'un contrat, dont la valeur en titres américains de première qualité est d'environ un demi-million de dollars. Quand il effectue une vente initiale de ces contrats à terme, il réduit le risque pour son portefeuille d'actions en cas de baisse du marché.

Vous pouvez constater que le contrat à terme jouit d'un effet de levier extraordinaire. Avec 20 000 $US, on peut profiter des mouvements d'un investissement de presque un demi-million de dollars américains. C'est un **avantage indéniable**. Toutefois, prenez garde : c'est aussi un **risque énorme**. À cause de la vitesse de mouvement de ces marchés et de l'effet de levier, vous avez intérêt à suivre votre investissement... à l'heure !

Voici un exemple d'utilisation de contrats à terme sur le Standard & Poor's 500. Supposons qu'un contrat à terme échéant en mars 1999 sur le S & P 500 s'élève à 950 points. La valeur de ce contrat est de 500 fois 950 points, c'est-à-dire 475 000 $US[1].

L'investisseur qui achète ce contrat doit déposer au moins 20 000 $US (ce qu'on appelle la **marge**) dans son compte de marchés à terme. Chaque point, à la hausse ou à la baisse, vaut ici 500 $US. En conséquence, si l'indice a grimpé de 4 points à la fermeture de la session, l'investisseur se verra créditer 2000 $US dans son compte. Si l'indice a baissé de 4 points, il se verra débiter 2000 $US. En d'autres mots, son compte se trouve à baisser de 20 000 $US à 18 000 $US. L'investisseur n'a pas besoin de vendre son contrat pour réaliser un gain ou une perte. Dans les marchés à terme, la comptabilité est ajustée quotidiennement sur les positions ouvertes (c'est-à-dire sur les positions qu'il détient). Tous les jours où la Bourse est en activité, le prix de fin de session (ou prix de règlement) se traduit en un gain ou

---

1 Au moment d'écrire ces lignes, le Chicago Mecantile Exchange, la Bourse où l'on négocie ce contrat, planifie de réduire le multiplicateur de 500 à 250.

une perte dans son compte parce que le courtier fait la différence entre le prix d'achat du contrat et le prix de fin de session créant un débit ou un crédit dans le compte de l'investisseur.

Combien l'investisseur peut-il gagner ou perdre? Le gain est naturellement illimité, alors que la perte est théoriquement de 475 000 $. Le dépôt initial de 20 000 $US n'est donc pas le montant maximal de la perte.

Le gestionnaire professionnel qui détient un portefeuille de titres américains et qui craint une baisse de sa valeur se sert du marché à terme sur cet indice boursier avec une vente initiale de contrats. En conséquence, si l'indice baisse de 5 points, il gagne 2500 $US par contrat. Ce gain compense alors la perte de cinq points qu'a subie son portefeuille. En d'autres mots, il gagnera sur les contrats à terme ce qu'il perdra sur la valeur de son portefeuille. Les contrats à terme sont non seulement un véhicule de spéculation, mais aussi une assurance.

La Bourse de Montréal est la capitale canadienne en matière de contrats à terme. Elle est le centre mondial de la gestion du risque des taux d'intérêt canadiens à court et à long terme. Les gestionnaires de portefeuilles d'obligations du monde entier qui détiennent des obligations canadiennes ainsi que les trésoreries des banques et des sociétés se servent des contrats à terme offerts par la Bourse de Montréal pour gérer le risque des taux d'intérêt canadiens. À la Bourse de Montréal, certaines journées, on négocie des contrats d'une valeur totale de 50 milliards de dollars. Puisque les marchés à terme sont à la criée, l'investisseur qui visite la Bourse de Montréal passe un moment vraiment intéressant et a l'impression de revivre une époque tout à fait spéciale du monde boursier.

QUELQUES SUGGESTIONS DE MÉTHODES AUTOMATIQUES DE CRÉATION ET DE GESTION DE PORTEFEUILLE

La méthode de momentum ou de croissance

Selon la méthode de momentum, l'investisseur choisit, parmi les 25 titres à capitalisation la plus élevée, les 10 titres qui donnent le résultat le plus élevé lorsqu'on utilise la formule suivante :

> La croissance du titre au cours des 12 derniers mois moins celle des 3 derniers mois, moins 3 fois celle du dernier mois.

Par exemple, le titre A a connu :

- une croissance de 20 % au cours des 12 derniers mois ;

- une croissance de 3 % au cours des derniers mois ;

- une croissance de 1 % au cours du dernier mois.

Le momentum est donc : $[(20 - 3) - (3 \times 1)] = 14$.

Le titre B a connu :

- une croissance de 20 % au cours des 12 derniers mois ;

- une croissance de 4 % au cours des trois derniers mois ;

- une croissance de 2 % au cours du dernier mois.

Le momentum de B est donc : $[(20-4) - (3 \times 2)] = 10$.

Je choisis d'acheter le titre A plutôt que le titre B parce que le titre A a le momentum le plus élevé, le plus prometteur. La raison : en supposant que le marché boursier en général soit à la hausse, le titre de B a déjà parcouru à la hausse une partie de son potentiel que le titre A n'a pas encore vécue.

Ensuite, on garde le titre acheté pendant au moins 3 mois et on l'élimine si son momentum ne figure plus parmi les 10 premiers. Attendez-vous à pratiquer une plus grande rotation de votre portefeuille si vous faites appel à cette méthode.

L'investisseur peut ajouter d'autres critères à ce système de sélection de titres, comme le ratio cours-bénéfice. Ce ratio devra être inférieur à celui de l'indice du secteur d'appartenance du titre même. L'important, c'est de trouver les indicateurs qui vous permettront de trouver les titres gagnants.

La méthode des dividendes

La méthode des dividendes prend en considération seulement les titres d'un indice boursier, par exemple les 25 titres qui composent l'indice XXM de la Bourse de Montréal. Ensuite, on les classe du point de vue des dividendes. On note ceux dont le prix est plutôt bas. On sélectionne les cinq titres qui sont les moins chers à condition qu'ils offrent aussi le plus haut rendement en dividendes.

Cette méthode comporte une variante. On peut prendre en considération seulement les titres d'un indice boursier, comme ceux qui composent le TSE 300. On choisit les 20 titres qui ont la capitalisation la plus élevée et le meilleur rendement en dividendes. Ces titres doivent avoir le ratio cours-bénéfice inférieur à celui du secteur d'appartenance. On achète le titre qui satisfait à ces trois conditions.

Qu'on applique la méthode des dividendes originale ou sa variante, on conserve pendant un an les titres achetés, puis on les vend. Ensuite, on recommence le processus.

Conclusion

La création et la gestion d'un portefeuille de valeurs mobilières s'avèrent un exercice enrichissant. Il est enrichissant non seulement du point de vue financier, mais également d'un point de vue plus spirituel. Le monde des actions et des obligations est une grande expression de l'activité humaine, de la volonté de réussir, de progresser et de faire progresser.

Au Moyen Âge, le paysan vivait dans les limites de son patelin et rarement dans sa vie il allait plus loin que le village voisin. Ce sont les commerçants qui, les premiers, se sont éloignés pour rejoindre des foires où ils vendaient leurs marchandises et en achetaient d'autres. Ils transmettaient les nouvelles et les connaissances et favorisaient le développement économique. Ils créaient des besoins nouveaux, comme les contrats et l'argent. Les commerçants ont élargi les horizons de l'humain.

Il en va de même pour l'épargnant qui décide de créer et de gérer son portefeuille. Son monde s'élargit, sa vision des choses se modifie et il se découvre des capacités jusque-là ignorées. En d'autres mots, gérer soi-même son portefeuille, c'est comme élargir l'horizon de ses pensées, de ses ambitions et de ses capacités.

Pour les internautes

Gérer son portefeuille de titres exige d'être continuellement à l'affût de l'information boursière. Les moyens traditionnels d'obtenir des renseignements sont les quotidiens, les hebdomadaires spécialisés et les publications des maisons de courtage. Toutefois, le réseau Internet s'affirme de plus en plus comme moyen d'information.

Voici quelques sites utiles, mais n'hésitez pas à mener vos propres recherches, puisqu'il s'agit d'un nouveau mode d'information en pleine évolution.

Internet Trader

Ce service donne les cotes de titres canadiens et américains en continu. Les cotes affichent un retard de 15 à 20 minutes par rapport à la réalité (règles établies par les bourses). Il offre de nombreux renseignements sur les titres, comme le bêta, la capitalisation, le nombre d'actions en circulation, etc. Il permet aux partisans de l'analyse technique de faire des graphiques assez détaillés. Afin de pouvoir utiliser ce service, il faut obtenir un programme transmis par modem. Il suffit d'aller au site et de suivre les instructions.

L'adresse : *http://www.kanisa.com*

La Bourse de Montréal

L'un des meilleurs sites réalisés par une Bourse est celui de la Bourse de Montréal. On y trouve la liste des membres, la liste des titres cotés dans les principales Bourses canadiennes et américaines, les cotes, les graphiques de chaque titre, des renseignements propres à chaque société, etc.

L'adresse : *http://www.bdm.org*

Journal *Les Affaires*

Dans la tradition des grands journaux du monde, l'hebdomadaire *Les Affaires* a lancé son site Internet et y offre à l'investisseur des renseignements utiles. L'esprit du journal, concis et efficace, s'y trouve. Le site est appelé à évoluer selon les suggestions et les besoins des lecteurs.

L'adresse : *http://www.lesaffaires.com*

Le Soleil

Le quotidien *Le Soleil* de Québec offre maintenant dans son site le cours des actions des Bourses nord-américaines avec un délai de 20 minutes, en plus des prix unitaires des fonds communs de placement. On y trouve aussi une section « Portefeuille » qui permet de suivre automatiquement l'évolution de son portefeuille d'actions et de fonds communs de placement. Un glossaire et une liste des meilleures performances complètent le volet boursier de ce site.

L'adresse : *www.lesoleil.com*

Data Broadcasting Company

Ce site offre gratuitement des cotes, des graphiques, des nouvelles en continu, avec un retard de 15 à 20 minutes pour respecter les règles établies par les Bourses. Il présente les titres et les indices, mais aussi les fonds communs de placement, les obligations et le marché monétaire. Puisqu'il s'agit d'un site américain, un traitement plus important est accordé aux marchés des États-Unis.

L'adresse : *http://www.dbc.com*

Il y a une myriade d'autres sites intéressants à visiter et à découvrir. Allez-y, naviguez !

GLOSSAIRE

Acceptation bancaire

Titre du marché monétaire, une acceptation bancaire est une traite commerciale à court terme et négociable. Elle a été acceptée et garantie par la banque de l'emprunteur.

Action

Il s'agit d'un titre de propriété et de croissance. Contrairement aux titres de créance (voir *débenture* et *obligation*), l'action permet de profiter de l'amélioration de la santé financière de l'entreprise et d'espérer un dividende et une augmentation du prix de l'action en Bourse. Le rendement potentiel de l'action est illimité, mais les pertes se limitent à la mise de fonds. Cependant, les pertes peuvent être illimitées dans le cas d'une vente à découvert.

Action cotée en cents *(penny stock)*

On désigne sous ce vocable un titre qui se négocie à moins de 1 $ l'action. Les actions cotées en cents sont, pour la plupart, à caractère très spéculatif.

Action de premier ordre *(blue chip)*

Il s'agit d'un titre de première qualité réputé comme un placement sûr. On désigne généralement comme valeur de premier ordre une action d'entreprise qui jouit d'un chiffre d'affaires important, qui distribue des dividendes depuis bon nombre d'années, que l'exercice financier soit bon ou non, et qui fait preuve d'une gestion de qualité. L'expression américaine *blue chip* vient du fait que, il y a environ un siècle, les certificats d'actions de sociétés importantes étaient imprimés en bleu.

Achat sur marge (ou sur emprunt)

L'achat sur marge consiste à acheter des titres en empruntant une partie du coût à la maison de courtage. Les titres alors achetés servent de garantie. L'achat sur marge a pour effet d'amplifier le gain en capital ou la perte en capital. Cette stratégie est réservée aux investisseurs plus téméraires.

Action ordinaire

Les détenteurs d'actions ordinaires sont les véritables propriétaires de l'entreprise. À raison d'une action un vote, ils élisent les membres du conseil d'administration. Le dividende sur action ordinaire n'est pas obligatoire et peut être omis si le conseil d'administration le décide. Les actionnaires ordinaires reçoivent un dividende une fois que les actionnaires privilégiés ont reçu le leur.

Action privilégiée

L'action privilégiée comporte des droits et des privilèges que n'offre pas l'action ordinaire. L'actionnaire privilégié a droit à un taux de dividende fixé d'avance. Ce dividende est payé à même le bénéfice net de l'entreprise et avant que soient payés les dividendes aux actionnaires ordinaires. Le dividende sur action privilégiée n'est pas obligatoire et peut être omis si le conseil d'administration le décide.

Analyse fondamentale

L'analyse fondamentale se concentre sur l'environnement dans lequel évolue l'entreprise, sur sa santé financière et sur la comparaison de cette entreprise avec les entreprises de son secteur. Ainsi, ce type d'analyse s'amorce par une évaluation de la conjoncture économique actuelle, puis se poursuit par une analyse de l'entreprise à l'aide de ratios et se termine par une comparaison avec les autres joueurs de l'industrie.

Analyse technique

L'analyse technique ne se préoccupe pas de l'environnement de l'entreprise, puisqu'elle suppose que le prix de l'action tient compte de cette valeur fondamentale et de toute l'information accessible sur l'entreprise. À partir des comportements passés de l'action, on tente, à l'aide de l'analyse technique, de déterminer le moment d'acheter et de vendre. Il existe une multitude de méthodes d'analyse technique. Les tenants de cet art travaillent à partir de nombreuses statistiques, de graphiques et d'indicateurs boursiers.

Bon de souscription ou droit d'achat d'actions (*warrant*)

Titre conférant au porteur le droit d'acheter des actions à un prix stipulé d'avance, habituellement au-dessus du pair, et pour une période déterminée. Ils sont généralement offerts au moment d'une nouvelle émission.

Bon du Trésor (*Treasury Bill*)

Les bons du Trésor sont des engagements à court terme (90 jours, 180 jours et 1 an) du gouvernement du Canada. Ils sont vendus à escompte et remboursés au pair à l'échéance. L'escompte représente le rendement. D'un point de vue fiscal, la différence entre le prix d'achat et le pair à l'échéance est un revenu d'intérêt.

Commission des valeurs mobilières

Il s'agit de l'organisme qui réglemente le marché des valeurs mobilières de chaque province. Sa mission est de favoriser le bon fonctionnement du marché des valeurs mobilières, d'encadrer les professionnels du marché, les associations qui les regroupent et les différents organismes qui assurent le bon fonctionnement du marché des valeurs mobilières, dont les Bourses.

Compte sur marge

Le compte sur marge est ouvert chez un courtier en valeurs mobilières et un prêt sur marge est autorisé dans ce compte pour financer l'achat de titres. L'achat sur marge consiste à acheter des titres en empruntant une partie du coût à la maison de courtage. Les titres alors achetés servent de garantie. L'achat sur marge a pour effet d'amplifier le gain en capital ou la perte en capital. Cette stratégie est réservée aux investisseurs plus téméraires.

Conjoncture économique

C'est une situation économique qui résulte de circonstances et d'événements dans le domaine économique. Les mouvements économiques se réalisent par cycles d'expansion et de récession.

Conseil d'administration

Il s'agit d'une assemblée élective qui est chargée de délibérer sur les affaires de l'entreprise.

Contrat à terme

Un contrat à terme n'est ni plus ni moins qu'une promesse. L'acheteur d'un contrat à terme promet d'acheter, à l'échéance du contrat, la marchandise sous-jacente. Le vendeur d'un contrat à terme promet de vendre, à l'échéance du contrat, la marchandise sous-jacente. Acheteur et vendeur peuvent fermer leur position avant l'échéance et annuler ainsi leur obligation. Pour prendre la position d'acheteur ou de vendeur, les investisseurs doivent déposer une marge qui oscille habituellement entre 2 % et 5 % de la valeur totale du contrat.

Crédit d'impôt pour dividendes

Il s'agit d'un avantage fiscal accordé par les gouvernements fédéral et provinciaux sur les revenus de dividende des sociétés canadiennes.

Coupon

Il représente le revenu d'intérêt que touche le détenteur d'une obligation. L'intérêt est habituellement versé tous les six mois.

Débenture

La débenture est une dette, un titre de créance émis par les gouvernements et les sociétés. Contrairement à l'obligation à laquelle est greffé un élément d'actif, la débenture ne représente en fait qu'une reconnaissance de dette ou, si vous préférez, une simple promesse de la part de l'emprunteur qu'il remboursera le montant de la dette à échéance et versera des intérêts à intervalles réguliers. On confond souvent obligation et débenture. À preuve, on parle toujours d'une obligation du gouvernement alors qu'il s'agit d'une débenture, puisque le gouvernement n'offre aucune garantie en contrepartie de l'émission du titre.

Débenture convertible

Débenture que le propriétaire peut habituellement échanger contre une ou plusieurs actions ordinaires de la même société.

Diversification

La diversification est la répartition du risque lié aux placements en investissant dans diverses catégories d'actif (actions, obligations, métaux précieux), dans différentes industries et dans divers pays.

Dividende

Le dividende est l'un des deux types de revenus qu'offre une action. Il représente la portion des bénéfices d'une entreprise versée aux actionnaires ordinaires et privilégiés. Il peut être versé en argent ou en actions. Il est également soumis à un traitement fiscal particulier. En effet, il donne lieu à un crédit d'impôt spécial servant à réduire le taux d'imposition réel.

Droit d'achat d'actions ou bon de souscription (*warrant*)

Le droit d'achat d'actions est un certificat émis par la compagnie, donnant droit au porteur d'acheter un nombre prédéterminé d'actions à un prix fixé d'avance, dans un certain délai ou de façon permanente. Parfois, le droit d'achat d'actions est offert avec des obligations ou des actions pour les rendre plus attrayantes. Les *warrants* sont négociables en Bourse. Ainsi, si le prix de l'action en Bourse devient supérieur au prix fixé sur le droit d'achat, celui-ci prend de la valeur.

Droit de souscription (*right*)

C'est un privilège accordé à un actionnaire par la compagnie. L'actionnaire peut ainsi acheter d'autres actions directement de la compagnie, sans passer par un courtier. Les droits peuvent être détachés de l'action et vendus séparément. Contrairement au droit d'achat d'actions, le droit de souscription est de courte durée.

Effet de levier

Il s'agit de l'utilisation de fonds empruntés pour acquérir des placements et maximiser le taux de rendement d'un investissement. Une stratégie potentiellement dangereuse si la valeur de l'investissement diminue.

Fonds commun de placement (ou fonds mutuel)

C'est la mise en commun d'avoirs gérée professionnellement. Cette mise représente les contributions de nombreux investisseurs. Les sommes recueillies sont investies dans différents titres financiers et dans des valeurs mobilières (actions, obligations, bons du Trésor). Les fonds communs de placement sont vus comme un moyen d'accéder sans mise de fonds importante à une diversification.

Gain (perte) en capital

Le gain (ou la perte) en capital est le profit que l'on réalise à la vente d'un actif lorsque son prix s'est apprécié (ou déprécié). Le gain (ou la perte) en capital est soumis à un traitement fiscal particulier.

Hypothèque

C'est un contrat stipulant que certains biens sont donnés en garantie d'un prêt. Ce contrat assure le créancier sans déposséder le propriétaire.

Indice (indice référentiel)

L'indice est un indicateur du rendement global du marché. Ces indices mesurent l'évolution du marché par un échantillon de titres représentatifs de l'ensemble. Au Canada, le principal indice est celui de la Bourse de Toronto, le TSE 300. Il inclut 300 titres inscrits à cette Bourse. C'est un indice pondéré selon la valeur marchande des actions ordinaires en circulation des entreprises composant l'indice. À la Bourse de Montréal, l'indice général est le XXM. Aux États-Unis, la moyenne des 30 industrielles de Dow Jones est de loin l'indice le plus populaire. Il est composé de 30 titres industriels inscrits à la Bourse de New York et représente une moyenne arithmétique des prix de ces titres. Il existe également des indices obligataires et hypothécaires.

Inflation

Augmentation générale des prix, l'inflation est habituellement exprimée à l'aide de l'indice des prix à la consommation (IPC). Cet indice représente l'augmentation des prix d'un panier à provisions type de la famille canadienne.

Intérêts composés

L'intérêt est dit composé lorsque les intérêts qui sont versés sur un placement à des intervalles périodiques sont ajoutés au capital du placement. L'intérêt génère alors de l'intérêt.

Krach boursier

Une chute abrupte du cours des actions cotées en Bourse engendrée par un mouvement de panique des investisseurs est qualifiée de krach boursier.

Liquidité

La liquidité est la facilité avec laquelle un actif peut être vendu et converti en argent. Il s'agit habituellement d'actif liquide, comme les obligations d'épargne du Canada, les bons du Trésor et les comptes d'épargne.

Marché à terme

Dans le marché boursier à terme, on négocie des contrats qui prennent la forme d'une police d'assurance pour les uns ou d'instruments spéculatifs pour les autres. On peut y négocier des contrats sur actifs financiers, sur marchandises et sur indice. Chaque contrat (tout comme l'option) est à la fois un instrument de protection et de spéculation. Par exemple, le contrat sur actifs financiers offre un moyen efficace de protection contre les variations des taux d'intérêt et le contrat sur indice offre une protection (ou permet de spéculer) contre les variations du marché boursier.

Marché boursier

C'est le marché où se négocient les valeurs mobilières (ex. : Bourse de Montréal, Bourse de Toronto).

Marché financier

Les demandes et les offres de capitaux s'y échangent. Ce terme englobe tous les marchés : monétaire, obligataire et boursier.

Marché monétaire

Il s'agit du marché où sont négociés des titres à court terme, comme les bons du Trésor, le papier commercial et les acceptations bancaires.

Marché obligataire

Les obligations fédérales, provinciales, municipales et corporatives s'y négocient. Le marché obligataire est un marché hors cote ou hors Bourse. C'est le marché le plus important du Canada.

Marché secondaire

Dans ce marché se négocient des valeurs ayant déjà été émises. Si un investisseur achète des actions à la Bourse, il effectue une transaction dans le marché secondaire.

Obligation

Il s'agit d'une dette, d'un titre de créance émis par les gouvernements et les sociétés qui offrent une garantie de paiement. En effet, l'emprunteur greffe un élément d'actif en contrepartie de l'obligation. Par exemple, les obligations garanties par hypothèque sont nanties par les immeubles de la société et les obligations garanties par nantissement de titres sont garanties par des titres ou des valeurs mobilières appartenant à l'entreprise. Les obligations sont les éléments d'actifs financiers les plus négociés.

Option

Les options ne sont ni des titres de créance ni des titres de propriété. Ce sont des « instruments financiers » qui se négocient entre investisseurs. Elles offrent à peu de chose près les mêmes caractéristiques que les droits et les bons de souscription. Toutefois, elles ont une durée de vie maximale inférieure à une année et ne sont pas émises par les compagnies, mais bien par les investisseurs. On peut vendre ou acheter une option de vente ou d'achat à la Bourse. Il existe des options sur les actions ordinaires, les obligations, l'or, les devises et les indices boursiers. En achetant des options, les investisseurs misent sur la tendance du cours de la valeur sous option.

Option d'achat (*call*)

Elle donne au titulaire (à l'acheteur) le droit d'acheter un certain nombre d'unités à un prix et dans un délai préalablement fixés.

Option de vente (*put*)

Elle donne au titulaire (à l'acheteur) le droit de vendre (au vendeur de l'option) un certain nombre d'unités à un prix et dans un délai préalablement fixés.

Option sur contrat à terme

Option d'achat et de vente dont le sous-jacent est un contrat à terme. Cette option fonctionne exactement comme les correspondantes options d'achat et de vente sur actions.

Papier commercial

Le papier commercial est un billet émis par des entreprises commerciales et industrielles. Généralement, ces billets sont utilisés pour renflouer le fonds de roulement de l'entreprise émettrice.

Plus-value

Profit réalisé lorsque le prix de vente d'un bien est plus élevé que la somme de son prix et des frais reliés à la vente.

Portefeuille

L'ensemble des titres de valeurs mobilières qu'une personne ou une entreprise détient constitue son portefeuille.

Produit dérivé

Il s'agit d'un contrat établi entre deux parties dont la valeur est liée au cours d'une action, aux variations du taux d'intérêt ou d'un indice boursier. Les options, les options sur indice, les options sur actions et obligations, les options sur contrat à terme et les contrats à terme sont des produits dérivés.

Reçu de versement

Reçu que reçoivent les acheteurs d'une nouvelle émission d'actions payables en versements échelonnés selon un échéancier donné.

Régie de l'assurance-dépôts du Québec (RADQ)

Cet organisme prévoit une assurance pour les personnes qui ont fait des dépôts dans les institutions financières de la province de Québec. Une somme pouvant aller jusqu'à 60 000 $ est assurée en cas de faillite d'une institution financière.

Répartition de l'actif

La répartition de l'actif consiste à doser la proportion des différents instruments financiers (actions, obligations, actions internationales) au sein de son portefeuille en fonction des perspectives du marché et de ses besoins. Elle permet de réduire les risques, mais elle détermine également la performance à long terme du portefeuille. Selon certains spécialistes, jusqu'à 90 % du rendement d'un portefeuille est imputable aux décisions touchant la répartition de l'actif, et non aux achats de telle ou telle action.

Répartition stratégique de l'actif (RSA)

Cette stratégie consiste à combiner des instruments financiers qui, historiquement, n'offrent pas tous une bonne performance dans des conditions de marché identiques. Par exemple, un instrument A, qui s'apprécie lorsque les taux d'intérêt augmentent, pourrait être combiné à un instrument B, qui fait bonne figure quand les taux baissent. La RSA permet non seulement de réduire le risque pour l'ensemble du portefeuille, mais aussi d'en augmenter le rendement et la stabilité.

Risque

Il s'agit de la possibilité qu'une partie ou que la totalité de l'argent investi soit perdue.

Société à petite capitalisation (*small cap*)

Société dont la capitalisation boursière est peu élevée. On obtient la capitalisation boursière d'une entreprise en multipliant le nombre d'actions ordinaires émises par leur cours du marché.

Société d'assurance-dépôts du Canada (SADC)

C'est l'organisme qui prévoit une assurance pour les personnes qui ont fait des dépôts dans une institution financière généralement de charte fédérale. Une somme pouvant aller jusqu'à 60 000 $ est assurée en cas de faillite d'une institution financière. Des assurances distinctes garantissent les dépôts en commun, les dépôts en fiducies et les sommes placées dans un REER ou un FERR.

Société de premier ordre

Voir action de premier ordre.

Taux de rendement courant

C'est le taux de rendement annuel d'un placement.

Taux de rendement réel

C'est le taux de rendement courant d'un placement moins l'inflation et les impôts.

Taux de change

Le taux de change du dollar canadien est fixé dans les marchés de change internationaux et est généralement coté par rapport au dollar américain. Le taux fluctue au gré des variations de l'offre et de la demande pour le dollar canadien. Il représente le prix pour cette devise.

Taux marginal d'impostion

Taux d'imposition s'appliquant, pour un particulier, à la dernière tranche de son revenu imposable.

Titre convertible

Lors d'une émission, un privilège de conversion est souvent attaché à une obligation (débenture) ou à une action privilégiée. Ce privilège donne le droit au détenteur de convertir, à son gré et dans un délai fixé d'avance, ses titres en un nombre déterminé d'actions ordinaires de la compagnie émettrice. Les entreprises émettent ce genre de titre pour rendre l'émission plus attrayante ou pour ne pas avoir à rembourser le capital emprunté si le privilège de conversion est exercé.

Titre de créance (ou titre de dette)

Il a comme principales caractéristiques de verser un revenu sous forme d'intérêt, par des paiements fixes ou à l'échéance, et de rembourser le capital, généralement à l'échéance. Parmi ces actifs financiers, on trouve les comptes de banque, le papier commercial émis par une entreprise, les certificats de placement garantis (CPG), les bons du Trésor, les obligations et les débentures.

Titre de propriété

Il a la particularité d'être perpétuel en ce sens qu'il ne comporte aucune échéance. Il peut conférer deux types de revenus : un gain en capital ou un dividende. Le revenu n'est pas certain ou fixe comme l'intérêt versé sur les titres de créance. Parmi ces actifs financiers, on trouve les actions, les droits et bons de souscription, les options et les contrats à terme.

Valeur nominale

C'est la valeur d'un titre d'emprunt à l'échéance ; elle est indiquée sur le titre.

Variabilité et volatilité

La variabilité mesure la tendance d'un titre à fluctuer en valeur. En général, les titres plus volatils (actions à quelques sous) représentent un degré de risque plus élevé, bien que la fluctuation en valeur puisse être aussi bien à la hausse qu'à la baisse. C'est pourquoi on parle aussi de volatilité.

Vente à découvert

Il s'agit d'une opération spéculative qui consiste à vendre un titre non détenu et emprunté auprès de la maison de courtage dans le but de le racheter à plus bas prix plus tard. Le propriétaire des titres empruntés peut les réclamer à tout moment. Le vendeur se voit alors dans l'obligation de se couvrir, soit en empruntant d'autres titres pour les remplacer, soit en les rachetant sur le marché au cours en vigueur.

AUTRES TITRES PARUS
AUX ÉDITIONS TRANSCONTINENTAL

Collection Affaires PLUS

Partez l'esprit en paix
Sandra E. Foster

24,95 $
392pages, 1998

S'enrichir grâce aux fonds communs de placement
Nicole Lacombe et Linda Patterson

18,95 $
227 pages, 1998

Guide de planification de la retraite (cédérom inclus)
Samson Bélair/Deloitte & Touche

34,95 $
392 pages, 1998

Guide de planification financière (cédérom inclus)
Samson Bélair/Deloitte & Touche

37,95 $
392 pages, 1998

Comment réduire vos impôts (10e édition)
Samson Bélair/Deloitte & Touche

16,95 $
276 pages, 1998

Les fonds vedettes 1998
Riley Moynes et Michael Nairne

21,95 $
320 pages, 1998

La bourse : investir avec succès (2e édition)
Gérard Bérubé

36,95 $
420 pages, 1997

Collection Communication visuelle

Comment constuire une image
Claude Cossette

29,95 $
144 pages, 1997

L'idéation publicitaire
René Déry

29,95 $
144 pages, 1997

Les styles dans la communication visuelle
Claude Cossette et Claude A. Simard

29,95 $
144 pages, 1997

Comment faire des images qui parlent
Luc Saint-Hilaire

29,95 $
144 pages, 1997

Collection Ressources humaines

Vendeur efficace
Carl Zaiss et Thomas Gordon

34,95 $
360 pages, 1997

Adieu patron! Bonjour coach!
Dennis C. Kinlaw

24,95 $
200 pages, 1997

Collection principale

Internet, intranet, extranet : comment en tirer profit CEVEIL	24,95 $ 240 pages, 1998
La créativité en action Claude Cossette	24,95 $ 240 pages, 1998
La créativité en action Claude Cossette	24,95 $ 240 pages, 1998
Guide des franchises et du partenariat au Québec (4ᵉ édition) Institut national sur le franchisage et le partenariat	36,95 $ 464 pages, 1997
Solange Chaput-Rolland *La soif de liberté* Francine Harel-Giasson et Francine Demers	21,95 $ 200 pages, 1997
Crédit et recouvrement au Québec (3ᵉ édition) *La référence pour les gestionnaires de crédit* Lilian Beaulieu, en collaboration avec N. Pinard et J. Demers	55 $ 400 pages, 1997
Le télétravail Yves Codère	27,95 $ 216 pages, 1997
Le Québec économique 1997 *Panorama de l'actualité dans le monde des affaires* Michèle Charbonneau, Lilly Lemay et Richard Déry	27,95 $ 240 pages, 1997
Les fondements du changement stratégique Taïeb Hafsi et Bruno Fabi	39,95 $ 400 pages, 1997
Le nouveau management selon Harrington *Gérer l'amélioration totale* H. James Harrington et James S. Harrington	59,95 $ 600 pages, 1997
Comprendre et mesurer **la capacité de changement des organisations** Taïeb Hafsi et Christiane Demers	36,95 $ 328 pages, 1997
DMR : la fin d'un rêve Serge Meilleur	27,95 $ 308 pages, 1997
L'entreprise et ses salariés, volume 1 Desjardins Ducharme Stein Monast	44,95 $ 408 pages, 1996
Rebondir après une rupture de carrière Georges Vigny	29,95 $ 300 pages, 1996
La stratégie des organisations *Une synthèse* Taïeb Hafsi, Jean-Marie Toulouse et leurs collaborateurs	39,95 $ 630 pages, 1996
La création de produits stratégiques *Une approche gagnante qui vous distinguera de la concurrence* Michel Robert, en collaboration avec Michel Moisan et Jacques Gauvin	24,95 $ 240 pages, 1996

L'âge de déraison
Charles Handy
39,95 $
240 pages, 1996

Croître
Un impératif pour l'entreprise
Dwight Gertz et João Baptista
39,95 $
210 pages, 1996

Structures et changements
Balises pour un monde différent
Peter Drucker
44,95 $
304 pages, 1996

Du mécanique au vivant
L'entreprise en transformation
Francis Gouillart et James Kelly
49,95 $
280 pages, 1996

Ouvrez vite !
Faites la bonne offre, au bon client, au bon moment
Alain Samson, en collaboration avec Georges Vigny
29,95 $
258 pages, 1996

Évaluez la gestion de la qualité dans votre entreprise (logiciel)
Howard B. Heuser
119,95 $
1996

Le choc des structures
L'organisation transformée
Pierre Beaudoin
26,95 $
194 pages, 1995

L'offre irrésistible
Faites du marketing direct l'outil de votre succès
Georges Vigny
26,95 $
176 pages, 1995

Le temps des paradoxes
Charles Handy
39,95 $
271 pages, 1995

La guerre contre Meubli-Mart
Alain Samson
24,95 $
256 pages, 1995

La fiscalité de l'entreprise agricole
Samson Bélair/Deloitte & Touche
19,95 $
224 pages, 1995

100 % tonus
Pour une organisation mobilisée
Pierre-Marc Meunier
19,95 $
192 pages, 1995

9-1-1 CA$H
Une aventure financière dont vous êtes le héros
Alain Samson et Paul Dell'Aniello
24,95 $
256 pages, 1995

Redéfinir la fonction finance-contrôle
en vue du XXIe siècle
Hugues Boisvert, Marie-Andrée Caron et leurs collaborateurs
24,95 $
188 pages, 1995

Les glorieux
Histoire du Canadien de Montréal en images
Photomage Flam
29,95 $
168 pages, 1995

La stratégie du président
Alain Samson
24,95 $
256 pages, 1995

La réingénierie des processus d'affaires dans
les organisations canadiennes
François Bergeron et Jean Falardeau

24,95 $
104 pages, 1994

Survoltez votre entreprise !
Alain Samson

19,95 $
224 pages, 1994

La réingénierie des processus administratifs
Le pouvoir de réinventer son organisation
H. James Harrington

44,95 $
406 pages, 1994

La nouvelle économie
Nuala Beck

24,95 $
240 pages, 1994

Processus P.O.M.
Une analyse du rendement continu de l'équipement
Roger Lafleur

34,95 $
180 pages, 1994

La certification des fournisseurs
Au-delà de la norme ISO 9000
Maass, Brown et Bossert

39,95 $
244 pages, 1994

Les 80 meilleurs fromages de chez nous
et leurs vins d'accompagnement
Robert Labelle et André Piché

18,95 $
272 pages, 1994

Un plan d'affaires gagnant (3e édition)
Paul Dell'Aniello

27,95 $
208 pages, 1994

1001 trucs publicitaires (2e édition)
Luc Dupont

36,95 $
292 pages, 1993

Maître de son temps
Marcel Côté

24,95 $
176 pages, 1993

Jazz leadership
Max DePree

24,95 $
244 pages, 1993

À la recherche de l'humain
Jean-Marc Chaput

19,95 $
248 pages, 1992

Vendre aux entreprises
Pierre Brouillette

34,95 $
356 pages, 1992

Objectif qualité totale
Un processus d'amélioration continue
H. James Harrington

34,95 $
326 pages, 1992

Comment acheter une entreprise
Jean H. Gagnon

24,95 $
232 pages, 1991

Collection Entreprendre

Comment gagner la course à l'exportation
Georges Vigny
27,95 $
200 pages, 1997

La révolution du Savoir dans l'entreprise
Fernand Landry
24,95 $
168 pages, 1997

Comment faire un plan de marketing stratégique
Pierre Filiatrault
24,95 $
206 pages, 1997

Profession : travailleur autonome
Sylvie Laferté et Gilles Saint-Pierre
24,95 $
272 pages, 1997

Devenez entrepreneur 2.0 (version sur cédérom)
Plan d'affaires
Alain Samson, en collaboration avec Paul Dell'Aniello
69,95 $
1997

Devenez entrepreneur 2.0 (version sur disquettes)
Plan d'affaires
Alain Samson
39,95 $
4 disquettes, 1997

Réaliser son projet d'entreprise
Louis Jacques Filion et ses collaborateurs
27,95 $
268 pages, 1997

Des marchés à conquérir
Guatemala, Salvador, Costa Rica et Panama
Pierre-R. Turcotte
44,95 $
360 pages, 1997

La gestion participative
Mobilisez vos employés !
Gérard Perron
24,95 $
212 pages, 1997

Comment rédiger son plan d'affaires
À l'aide d'un exemple de projet d'entreprise
André Belley, Louis Dussault, Sylvie Laferté
24,95 $
276 pages, 1996

J'ouvre mon commerce de détail
24 activités destinées à mettre toutes les chances de votre côté
Alain Samson
29,95 $
240 pages, 1996

Communiquez ! Négociez ! Vendez !
Votre succès en dépend
Alain Samson
24,95 $
276 pages, 1996

La PME dans tous ses états
Gérer les crises de l'entreprise
Monique Dubuc et Pierre Levasseur
21,95 $
156 pages, 1996

La gestion par consentement
Une nouvelle façon de partager le pouvoir
Gilles Charest
21,95 $
176 pages, 1996

La formation en entreprise
Un gage de performance
André Chamberland
21,95 $
152 pages, 1995

Profession : vendeur
Vendez plus... et mieux !
Jacques Lalande

19,95 $
140 pages, 1995

Virage local
Des initiatives pour relever le défi de l'emploi
Anne Fortin et Paul Prévost

24,95 $
275 pages, 1995

Comment gérer son fonds de roulement
Pour maximiser sa rentabilité
Régis Fortin

24,95 $
186 pages, 1995

Naviguer en affaires
La stratégie qui vous mènera à bon port !
Jacques P.M. Vallerand et Philip L. Grenon

24,95 $
208 pages, 1995

Des marchés à conquérir
Chine, Hong Kong, Taiwan et Singapour
Pierre R. Turcotte

29,95 $
300 pages, 1995

De l'idée à l'entreprise
La République du thé
Mel Ziegler, Patricia Ziegler et Bill Rosenzweig

29,95 $
364 pages, 1995

Entreprendre par le jeu
Un laboratoire pour l'entrepreneur en herbe
Pierre Corbeil

19,95 $
160 pages, 1995

Donnez du PEP à vos réunions
Pour une équipe performante
Rémy Gagné et Jean-Louis Langevin

19,95 $
128 pages, 1995

Marketing gagnant
Pour petit budget
Marc Chiasson

24,95 $
192 pages, 1995

Faites sonner la caisse !!!
Trucs et techniques pour la vente au détail
Alain Samson

24,95 $
216 pages, 1995

En affaires à la maison
Le patron, c'est vous !
Yvan Dubuc et Brigitte Van Coillie-Tremblay

26,95 $
344 pages, 1994

Le marketing et la PME
L'option gagnante
Serge Carrier

29,95 $
346 pages, 1994

Développement économique
Clé de l'autonomie locale
Sous la direction de Marc-Urbain Proulx

29,95 $
368 pages, 1994

Votre PME et le droit (2e édition)
Enr. ou inc., raison sociale, marque de commerce
et le nouveau Code Civil
Michel A. Solis

19,95 $
136 pages, 1994

Mettre de l'ordre dans l'entreprise familiale
La relation famille et entreprise   19,95 $
Yvon G. Perreault   128 pages, 1994

Pour des PME de classe mondiale
Recours à de nouvelles technologies   29,95 $
Sous la direction de Pierre-André Julien   256 pages, 1994

Famille en affaires
Pour en finir avec les chicanes   24,95 $
Alain Samson en collaboration avec Paul Dell'Aniello   192 pages, 1994

Profession : entrepreneur
Avez-vous le profil de l'emploi ?   19,95 $
Yvon Gasse et Aline D'Amours   140 pages, 1993

Entrepreneurship et développement local
Quand la population se prend en main   24,95 $
Paul Prévost   200 pages, 1993

Comment trouver son idée d'entreprise (2ᵉ édition)
Découvrez les bons filons   19,95 $
Sylvie Laferté   159 pages, 1993

L'entreprise familiale (2ᵉ édition)
La relève, ça se prépare !   24,95 $
Yvon G. Perreault   292 pages, 1993

Le crédit en entreprise
Pour une gestion efficace et dynamique   19,95 $
Pierre A. Douville   140 pages, 1993

La passion du client
Viser l'excellence du service   24,95 $
Yvan Dubuc   210 pages, 1993

Entrepreneurship technologique
21 cas de PME à succès   29,95 $
Roger A. Blais et Jean-Marie Toulouse   416 pages, 1992

Devenez entrepreneur (2ᵉ édition)
Pour un Québec plus entrepreneurial   27,95 $
Paul-A. Fortin   360 pages, 1992

Correspondance d'affaires
Règles d'usage françaises et anglaises et 85 lettres modèles
Brigitte Van Coillie-Tremblay, Micheline Bartlett   24,95 $
et Diane Forgues-Michaud   268 pages, 1991

Autodiagnostic
L'outil de vérification de votre gestion   16,95 $
Pierre Levasseur, Corinne Bruley et Jean Picard   146 pages, 1991

Transcontinental
IMPRESSION
IMPRIMERIE GAGNÉ